Almightily
Righteous
Immanuel
Reign
Amid
National
Governments

가이사는 하느님의 것

민주제적 질서 속에서

그리스도 통치론

가이사는 야훼의 것
민주제적 질서 속에서 그리스도 통치론

발 행 | 2021년 4월 30일
저 자 | 김광종
펴낸곳 | 나라와 義
디자인 | 아이알 커뮤니케이션즈
출판사등록 | 1996.01.16.(제321-1996-81호)
전 화 | 02-2282-0291
이메일 | irparty@naver.com

ISBN | 978-89-961429-4-2

www.irshow.com

Almightily
Righteous
Immanuel
Reign
Amid
National
Governments

김광종 지음

가이사는 하나님의 것

민주제적 질서 속에서
그리스도 통치론

나라와 義

목차

서론 : 존 로크의 통치론과 그리스도 통치론·····················9

1. 가이사는 하나님의 것 ································· 13
2. 기독정당은 가능한가, 필요한가, 또 어떻게 ···············20
3. 한국 기독 정당이 가야할 길 ······················· 22
4. 기독 정당과 천년 왕국 ··························· 29
5. 유대인의 왕은 세계의 왕 ························· 30

6. 하나님의 나라와 하나님의 의 ·····················30
7. 예수님이 비정치적이셨는가 ·······················32
8. 기독인이 돈보다 권력을 더 추구해야 하는 이유 ··········· 33
9. 다종교 국가에서 기독 정당 ·······················33
10. 하나님의 종 느부갓네살과 가이사 ·····················35

11. 우리는 국가로서 무엇을 이뤄내야 하는가?·················· 36
12. 다윈의 종의 기원과 하나님의 통치 ·················· 39
13. 모택동의 모순론과 시진핑의 중국몽, 그리스도 통치론····· 44
14. 예수님은 정치적, 한국 교회는 반정치적 ················ 47
15. 다말과 민주주의 ····························· 49

16. 금융 위기와 요셉의 전략·························· 52
17. 땅 안 사신 느헤미야 ························· 55
18. 왕이신 예수님께서 십자가에 달리신 이유·················· 56
19. 헤롯의 누룩을 주의하라 ·······················61
20. 예수님이 세상의 미움을 받으신 이유 ················· 62

21. 교회의 존립 근거와 목적 ························· 63
22. 하늘 왕, 땅 왕 : 느부갓네살의 정치 신학과 로마 ········· 64
23. 성령 충만과 정의 추구 ························· 67
24. 교회가 사회문제 해결에 적극 나서는 것이 복음주의 ······· 68
25. 다윗 왕의 왕, 야훼 ························· 70

26. 왕이 될 만한 사람은 아예 없다. 예수님 외에는 ············ 71
27. 왕을 구한 죄: 다윗과 사울, 예수님과 헤롯 ··············· 73
28. 선거와 선교 ···························· 74
29. 메시아 그리스도 구원자 그리고 아리랑당 ·················· 75
30. 선지자 다윗과 아리랑당 ······················ 77

31. 유대인을 꼭 닮은 기독인들 ···················· 80
32. 내 나라는 세상에 속한 것이 아니니라에 대한 오해 ········ 81
33. 당이 말씀 전파에 힘써야 할 이유 ················· 90
34. 주께서 우리 위에 세우신 이방 열왕 ················ 92
35. 회개와 정치 개혁의 상관관계 ··················· 93

36. 재판은 여호와를 위한 것 ····················· 94
37. 예수님과 선지자들과 사도들 ···················· 95
38. 다윗과 헤롯과 빌라도의 정치신학의 차이 ················ 96
39. 구원과 정치 ··························· 97
40. 十원의 복적에 대한 오해 ······················ 101

41. 왕이신 예수님은 정치적 메시아 ·················· 102
42. 양의 왕, 염소의 왕 ························ 104
43. 정치는 선택 아닌 필수이며 그 비율의 영역 ·············· 110
44. 유다 왕이여. 내가 너 파멸할 자를 준비하리니 ············· 111

45. 학살의 죄와 해결 방법 ··· 112

46. 왕에게 불순종하는 정의 ··· 115
47. 예레미야의 정치 신학: 하나님과 가이사 ················ 118
48. 죄와 구원과 정치 ·· 120
49. 정치와 창조 : 세상은 왜 생성된 것인가? ················ 124
50. 정치와 죽음: 우리는 왜 죽는 것이고, 그 뒤엔 무엇이 ···· 125

51. 성령 충만과 정치 ·· 126
52. 정치적 십일조, 하나님의 정치와 사람의 정치 ············· 132
53. 정치와 종교의 분리, 정의 ·· 133
54. 하나님과 국가의 흥망성쇠 ······································· 136
55. 지구 교도소 정치론-기독정치론 ······························· 138

56. 왕권신수설, 왕권 신분설, 권력 분산 ······················· 152
57. 권력은 비판받아선 안 되는가 ·································· 154
58. 이 땅을 천국으로 만드시려는 계속된 노력 ·············· 154
59. 오직 성령이 너희에게 임하시면, 땅 끝 까지 내 증인이 되리
라 ·· 155
60. 공의로운 국가 체제에 대한 모세의 고민 ················ 158

61. 사사 체제와 왕 체제의 근본 차이는, 그 결과는 ········· 159
62. 하나님은 사사가 아니라 왕이셨다. ························· 160
63. 위대한 황제, 왕제, 봉건제, 절대 왕정, 민주제, 권력 분산
·· 162
64. 시편 45편으로 본 아리랑당의 미래 ························ 163
65. 예수님은 세금을 받지 않는 왕이셨다 ···················· 164

66. 난이도가 높은 문제는 극소수만 정답을·············· 165
67. 솔로몬의 권력투쟁, 예수님의 권력투쟁···················· 165
68. 이스라엘 회복과 사도들, 그리고 오해, 그리고 지금······ 169
69. 성경을 읽지 않는 사람은 정치를 해선 안 된다.··········· 170
70. 이웃이 부자가 되면 나는 그의 노예가 될 가능성이 더 높다
···171

71. 천국의 소유권 문제는?················· 173
72. 여호와께서 보시기에 정직하고 선량한 일을 행하라······· 173
73. 성매매 포주가 도덕적 성생활 시민단체 대표라면?········ 174
74. 하나님을 경외하는 정당이 필요한 이유···················· 174
75. 기독 정당의 여러 위험성에 대한 답··························· 178

76. 로마 권력에 의해 십자가를 달리신 예수님은 바벨론을 벌하
시던 하나님의 만국 통치권을 상실 하셨는가···················· 182
77. 예수님은 종교 수장이시고, 다윗은 정치적 수장이신가··· 183
78. 억지로 임금 삼으려는 사람들을 피해가신 이유에 대한 오해
···188
79. 예수님은 왜 민족반역자로 여겨지는 세리를 제자로?······ 189
80. 요셉의 감옥 생활은 총리 준비 시간··························· 190

81. 경제개혁의 이집트 식과 이스라엘 식, 사회주의식, 헨리조지
식 ································ 193
82. 성경은 하나님의 정치 서적이다···························· 194
83. the good news is preached to the poor················· 195
맺음말1 : 성경의 역사적 실증성과 정치···················· 197
맺음말2: 성경의 역사적 실증성과 정치····················· 198

서론 : 존 로크의 통치론과 그리스도 통치론

An Essay Concerning the True Original, Extent, and End of Civil Government
-시민적 통치(정치사회)의 참된 기원과 범위 및 목적에 관한 소론-
을 읽어보면 우리의 현 정치체의 성립 근거와 해체, 그리고 국민의 행동에 관한 여러 지혜를 얻을 수 있다.

특히 정치적으로 미개한 수준에 있는 우리나라로서는 존 로크의 이 논문이 정치와 관련한 여러 문제를 해결하려는 사람들에게 많은 단서를 제공해주고 있다고 볼 수 있다.

자연 상태에서 만인의 만인에 대한 투쟁을 피하기 위해 정치 사회를 결성한 이유는 공공의 복지의 보존, 특히 생명과 자유와 자산을 보전하려는 데 있으며, 입법부의 결성을 통한 법의 제정을 통해 행정권을 만들어내고 그 최고 통치권 위임자로서 대권을 가진 군주 등의 인물이 선출되어지는데, 이들이 그 목적에 합당하게 움직일 때는 그들의 존립 근거가 있지만 공공의 복지에 반할 때는 언제든지 이들의 권력을 박탈할 수 있다는 것을 얘기하고 있다.

로크는 국민들이란 보통 쉽게 움직여지는 사람들이 아니어서 한두 사람의 고통과 피해에는 동요되지 않으며, 정치에도 그리 큰 관심이 없고 사기꾼 권력자들의 농간에 따라서 배신적 투표 행위를 하는 경우가 허다함을 지적하고 있다. 우리의 정치 현실을 너무도 잘 지적해주고 있다.

이 책은, 왕권신수설을 통한 절대 군주제를 부정하는 시민 통치론,

또는 민주주의론의 이론적 근거를 제공함으로써 영국 등 근대 시민 혁명을 불러일으킨 위대한 공로를 가지고 있다. 그 자신 폭압적 절대 군주들에 의해 피해를 입었던 사람으로 망명의 쓰라린 시간들이 이런 역작의 사유를 가능케 했을 것임에 인간이 받는 고난을 통해 역사를 움직이시는 지혜로운 하나님을 로크를 통해 발견하게 된다.

로크는 왕권신수설 이론가들의 성경 이해를, 자신의 다른 성경 해석을 통해 비판하고 있다. 우리가 성경을 깊이 있게 이해하는 것이 얼마나 중요한 가를 보여주는 이유다.

향후 우리가 서양과 동양 세계를 모두 선도할 국제 사회의 주역이 되기 위해서는 동서양의 고전에 정통하지 않으면 안 된다는 것을 깨닫게 된다. 로크는 이 논문의 마지막 부분에서 이런 문구를 던진다.

-정의와 관련하여 누구에게도 의지할 곳이 없을 때 스스로의 판단에 따라 자신이 재판관이 되어 하늘에 호소하고 일어나야 할 것이다.-

지금 우리 아리랑당 창당추진위가 가는 길은 어쩌면 이와 비슷할 수 있다.

타락한 정치권이 장악한 입법부는 공공의 복지를 등한히 하고 자기네들의 존립 근거를 망각하고 있고, 잘못된 선거법과 선거 행정들을 통해 그 하수인들은 국민을 위한 정치 세력의 등장을 막고 있는 상황에서 국민들은 패배의식에만 젖어 스스로 선거 혁명을 도모하지 않고 있는데 우리는 로크가 말한 대로 위험한 일을 하는 사람들이다. 그러나 결국 국민들은 더디지만 깨닫게 된다고 로크는 이야기한다. 우리가 준비하고 나간다면 국민들이 깨닫는 그 시점에서 우리는 힘을 얻고 집권에 성공하여 공공의 복지를 위하여 일하는 공복들이 될 수 있다.

지금 우리는 국외적으로도 강대국들에게 유린당하고 있다. 진정한 독립국가라고 말할 수 없는 점들이 이 나라에 많이 있다. 로크 식으로 이야기하면 자주권을 이양하는 위정자들은 이미 그 자리에 있을 자격이 없는 사람들이다. 국가적으로 힘을 키우고 일본과 미국 등 강대국에 대하여 진정한 자주권을 회복해야 한다. 그 선봉에 아리랑당이 서야 한다.

미국민이나 일본국민들에 대해 우리 대한민국의 국민들이 노예가 되어서는 안 된다. 우리는 우리의 생명과 자유와 자산을 그들에게 줄 아무런 이유가 없는 것이다. 지난 역사에서 우리는 그러한 일들을 당해 왔다. 하지만 더 이상은 안 된다. 그러나 이 일은 깨닫고 준비하는 자에게서만 가능한 일이 될 것이다.

자크 엘룰의 '하나님의 정치, 사람의 정치'가 가지고 있는 모호성이 아니라 보다 분명하게 성경을 통해 본인의 저서 "그리스도 통치론"은 하나님의 통치 아래서 우리가 어떻게 하나님의 일꾼들로서 사역할 수 있는지 고민해본 책이다. 부족함이 많지만 앞으로 더 더욱더 묵상하고 묵상해서 깨달은 마음으로 다섯 마디라도 정리를 계속할 생각이다.

본인은 지속적으로 선거에 출마하고 있다. 처칠이 정치를 가장 잘 알 수 있는 방법은 선거에 나가는 길이라고 했다. 통합측 교단의 전주남성교회에서 신앙생활을 하면서 어려서부터 가졌던 정치와 하나님의 관계에 대한 깊은 의문들을 지난 50여 년간 대학, 군대, 회사, 그리고 정당들과 선거참여를 통해 고민했고, 그 고민의 와중에 적어간 글들을 묶어서 책으로 내고자 한다.

나는 항상 주변에 내 책보다는 성경을 읽어보라고 한다. 그런데 이디오피아 내시가 이사야서를 읽다가 깨닫지 못하고 있을 때 빌립이 성령에 이끌려가서 그의 수레에 같이 올라타서 해석해준 것처럼, 정치인으로서 여러 깨달음을 주신 하나님의 은혜에 감사하여 그 조그만 깨달음들을 나누고자 이 책을 내고자 한다.

그리고 그간의 과정에 기도와 여러 도움을 주신 분들께 깊이 감사드린다. 또한 하나님의 창조 이후 이 세계의 정의를 위해 헌신하신 모든 분들께 깊이 깊이 감사드린다.

6.25 참전 용사이시고, 2001년에 시신 기증을 하고 돌아가신 아버지 김완봉 선생께 이 책을 바친다.

누가 내 모친이고 형제냐고 물으신 주님께서 아버지의 뜻대로 행하는 자라야 내 모친이고 형제라고 하신 것처럼 나의 가족도 전세계에서 주님의 뜻대로 행하셨고 행하시는 분들이다.

무엇을 알았다 하면 아직 알지 못한 것이라고 하신 말씀처럼, 나는 어린 아이요 무지한 사람이고 주님의 십자가를 필요로 하는 죄인이다. 여전히

1. 가이사는 하나님의 것

  그들이 예수의 말씀을 책잡으려 하여 바리새인과 헤롯당 중에서 사람을 보내매 와서 이르되 선생님이여 우리가 아노니 당신은 참되시고 아무도 꺼리는 일이 없으시니 이는 사람을 외모로 보지 않고 오직 진리로써 하나님의 도를 가르치심이니 이다.

  가이사에게 세금을 바치는 것이 옳으니이까 옳지 아니하니이까 우리가 바치리이까 말리이까 한대 예수께서 그 외식함을 아시고 이르시되 어찌하여 나를 시험하느냐 데나리온 하나를 가져다가 내게 보이라 하시니 가져왔거늘 예수께서 이르시되 이 형상과 이 글이 누구의 것이냐 이르되 가이사의 것이니이다

  이에 예수께서 이르시되 가이사의 것은 가이사에게, 하나님의 것은 하나님께 바치라 하시니 그들이 예수께 대하여 매우 놀랍게 여기더라(마가복음 12장 13-17)

  가이사는 누구일까요? 하나님께서 참새 한 마리가 몇 데나리온에 팔리는 것을 허락하신 바처럼 그가 로마의 왕이 되는 것을 허락하셨고, 그가 이스라엘을 지배하는 것도 허락하셨습니다. 마치 느부갓네살 왕이 이스라엘을 바빌론으로 끌고 갈 수 있도록, 이스라엘을 침략해서 다스릴 수 있도록 허락하신 몽둥이와 같습니다.

  그런데 이런 전반적인 그림을 이해하지 못하고, 왕이신 예수님, 그리고 하나님이신 예수님에게 즉, 가이사를 세우시고 이스라엘을 지배하도록 허락받은 가이사에 대해 세금 문제로 꼬투리를 잡아 로마 당국에 체포되

게 하려는 간계로 예수님을 옭아매려 했습니다.

그런데 기독교 역사상 이 말씀처럼 오해받고 있는 말씀도 없다고 생각합니다. 마치 예수님이 체포를 피하기 위해 애매모호한 답변으로서 이 말씀을 하셨다고 우리로 생각하게 하고, 세상 나라와 하나님 나라를 구별된다고 생각하게 만드는 잘못된 신학과 설교가 지난 2천 년간 교회를 잘못 인도한 맹인의 가르침이었습니다.

그리고 이 말씀을 악용하여 세상의 악한 나라와 그 지배자들과 적당히 타협하면서 지내온 기독교 2천년사라고 볼 수 있습니다.

그리고 세상의 악한 나라들과 지배자들은 기독교를 적당히 보아주면서 그들의 지도자들과 함께 결탁하여 그 교인들의 피를 빨아먹어 왔습니다. 특히 기독교가 반공과 합세하여, 레드 콤플렉스로 가득 찬 미국 청교도의 지배 아래 놓인 국제 질서에서 이는 간악한 제 3세계 독재자들을 용인해주는 이데올로기가 되었습니다.

한국은 북한과 대치 상태에 있었고, 북한이 많은 기독교인들을 죽이고 탄압함으로써 이 말씀이 가장 악랄하게 악용되어 독재자들의 발을 씻겨주고 그들 머리에 세례를 주는 도구가 된 국가 중 하나가 되었습니다. 한국 기독교가 해석한 수준의 말씀이었고, 그런 뜻으로 예수님께서 이 말씀을 하셨다면 예수님은 헤롯과 빌라도의 연합과 서기관과 바리새인들과 제사장들의 연합에 의해서 십자가로 끌려가 돌아가실 일은 없으셨습니다.

예수님은 헤롯의 악행을 지적한 세례 요한이 돌아가시자 그 소식을 듣고 자신의 사역을 계속 하십니다. 마치 무관심하신 것처럼. 그리고 헤롯의 불의에 대해 아무런 지적도 안하시는 것처럼.

그래서 한국 교회는 편했습니다. 예수님도 그냥 그렇게 헤롯에게 대적하지도 않았고, 빌라도에게도 대적하지도 않고, 가이사에게 세금도 내라고 하심으로써 그리고 하나님의 일을 그것과 별도의 일, 서로 아무런 교집합도 없는 것으로 보이게 하심으로써 행하셨으니 우리도 전도만 해야 한다고 말하기에 이 구절은 너무도 유용했습니다.

그러나 조금만 생각해본다면 이 뜻이 한국 교회가 이해하고 설교해왔고, 신학적으로 이론을 세워왔던 바와 전혀 다름을 알 수 있습니다. 그간 우리는 보아도 보지 못했고, 들어도 듣지 못했던 것입니다.

예수님은 자신이 걸림돌이 되지 않는 사람들은 복되다 하셨습니다. 지금 예수님의 말씀은 한국 교회에 너무도 많은 걸림돌이 되고 있습니다. 예수님은 이 말씀을 하시고 결국 헤롯에게 그리고 빌라도에게 죽임을 당하셨습니다. 한국 교회는 예수님의 말씀을 오해시키고서 결코 한국의 독재자들에게 순교당한 적이 없습니다.

이것이 예수님과 한국 교회의 차이입니다. 다음의 말씀은 이를 잘 드러냅니다.

곧 그 때에 어떤 바리새인들이 나아와서 이르되 나가서 여기를 떠나소서. 헤롯이 당신을 죽이고자 하나이다. 이르시되 너희는 가서 저 여우에게 이르되 오늘과 내일은 내가 귀신을 쫓아내며 병을 고치다가 제삼일에는 완전하여지리라 하라. 그러나 오늘과 내일과 모레는 내가 갈 길을 가야 하리니 선지자가 예루살렘 밖에서는 죽는 법이 없느니라 예루살렘아 예루살렘아 선지자들을 죽이고 네게 파송된 자들을 돌로 치는 자여 암탉이 제 새끼를 날개 아래에 모음 같이 내가 너희의 자녀를 모으려 한 일이 몇 번이냐 그러나 너희가 원하지 아니하였도다.

보라 너희 집이 황폐하여 버린바 되리라 내가 너희에게 이르노니 너희가 주의 이름으로 오시는 이를 찬송하리로다 할 때까지는 나를 보지 못하리라 하시니라(누가복음 13장 31-35. 개역개정)

헤롯은 예수님을 죽이고자 했고 예수님은 그런 사실을 알고 있었습니다. 왜 예수님을 헤롯이 죽이고자 했을까요? 지난 독재 정권 시절 한국의 군부 독재자들이 한국 보수 기독교계 지도자들을 죽이려 했을까요?

오직 김일성 일가를 대적함으로써, 나에게 직접 영향력을 행사할 수 없는 철책선 너머의 독재자 김일성 일가의 독재를 비판하면서도, 남한의 독재자들에 대해선 침묵하고 또 축복해주었던 한국 보수 기독교계에 남한의 독재자들은 오히려 보호자가 되어주었고 이권을 같이 나눠가지면서 그 교인들의 피를 같이 빨아먹은 기생충들이 되었습니다.

예수님은 당대의 모든 권력자들의 공통 적이었습니다. 그러나 한국 보수 기독교계는 한국의 모든 권력자들과 평화를 유지했습니다.

다니엘과 그 세 친구들은 결코 당대 권력자들의 치하에서 영구 평화를 누리지 못했습니다. 그들은 사자 굴로, 불구덩이로 던져졌습니다. 한국 보수 기독교계는 지난 70년 동안 독재 권력들과 반공의 기치 아래 극한 평화를 누려왔습니다. 그 시기 이 땅에서는 시바스 리갈의 위선을 지적하는 의로운 목회자들도 많았습니다.

땡뉴스의 위선을 싫어하는 목회자 분들도 많았습니다. 그러나 주류 세력은 그들에게 빌붙어 조찬 기도회에 가서 축복해주었고, 광주의 무고한 시민들과 대한민국의 양심적 세력들은 군화 발에 짓눌렸는데, 그 군홧발은 국방의 신성한 의무를 위해 착출된 병사들이 대리했습니다.

그 런데 또 하나의 아이러니가 남한의 민주화 세력의 주도자들 중에 북한 김일성 일가의 독재에 대해선 침묵하는 일이 벌어졌고, 오히려 그들의 독재를 미화해주었습니다.

이 얽히고설킨 오해와 탐욕이 지금 북한은 탈북 사회로, 남한은 탈지구 사회로, 헬 조선으로 변화시켰습니다.

예수님이 재림하신다면 그의 직업은 무엇일까요? 종교지도자일까요? 아닙니다. 정치가이시고, 최고 통치자이십니다.

그러면 결국 시진핑의 공산당과 김정은의 조선노동당과 권력 투쟁을 하실 수밖에 없으며, 국내로는 자유한국당과 민주당과 권력 투쟁을 하시게 될 것입니다.

예수님과 석가모니의 관계는 무엇일까요? 여기에서도 권력 투쟁이 벌어질 것입니다. 예수님이 봉은사에 가서 아기 부처상에 물을 부어주고 합장하고 나오시겠습니까?

예수님은 스스로를 석가모니의 창조주라 말씀하십니다. 석가모니는 사람이고 예수님은 석가모니를 지으신 하나님이시다 말씀하십니다. 이것이 성경의 말씀이고, 교회에게 가르치는 내용입니다.

오직 창조주는 하나님 한 분이시고, 세계에 우주에 하나님 외에 다른 신이 없다고 하셨습니다. 하나님은 트러블 메이커이십니다. 유일신, 유일한 권력자이시며 불의한 권력자들을 끊임없이 비판하시는 분이십니다. 그의 종들을 보내시어 불의한 권력자들을 비판하게 하셨고, 길 잃은 양들, 밥도 제대로 먹지 못하는 파리한 양들, 병든 양들을 그 삯군 목자들에게서 구해주시는 선한 목자, 참 목자이십니다.

예수님이 이 땅에 오시면 다시 가난한 사람들, 빚진 사람들, 병 걸린 사람들, 귀신들린 사람들을 구해주시는 참 정치가로서 살아가실 것입니다. 그러나 다시는 십자가가 없습니다. 그것은 한번입니다. 이제는 그 악한 권력자들에 대한 심판만이 있을 것입니다.

그러나 예수님만이 진정한 왕이시다고 고백하는, 느부갓네살의 고백을 하는 권력자들은 땅의 왕이 되어서 하나님께 예물을 가지고 거룩한 성으로 오게 됩니다. 모든 눈물을 그 눈에서 닦아 주시니 다시는 사망이 없고 애통하는 것이나 곡하는 것이나 아픈 것이 다시 있지 아니하리니 처음 것들이 다 지나갔음이러라(요한계시록 21장 4절)

예수님은 이 땅의 서민들의 눈물을 씻어주시고 한을 풀어주십니다. 무상 의료 행위로 완치를 이루어주십니다.

성 안에서 내가 성전을 보지 못하였으니 이는 주 하나님 곧 전능하신 이와 및 어린 양이 그 성전이심이라

그 성은 해나 달의 비침이 쓸 데 없으니 이는 하나님의 영광이 비치고 어린 양이 그 등불이 되심이라 만국이 그 빛 가운데로 다니고 땅의 왕들이 자기 영광을 가지고 그리로 들어가리라

낮에 성문들을 도무지 닫지 아니하리니 거기에는 밤이 없음이라 사람들이 만국의 영광과 존귀를 가지고 그리로 들어가겠고 무엇이든지 속된 것이나 가증한 일 또는 거짓말하는 자는 결코 그리로 들어가지 못하되 오직 어린 양의 생명책에 기록된 자들만 들어가리라 (요한계시록 21장 22-27)

아리랑당 창추위가 꿈꾸는 정치는 이런 것입니다. 아리랑당 창추위에서 배출된 정치인들은 땅의 왕들이 되어 서민들의 눈물을 씻기고 그 한을 풀어주며 그 성전으로 들어갈 것입니다. 자한당, 민주당, 조선 노동당, 중국 공산당, 일본 자민당 등은 결코 이 서민의 눈물을 씻어주지

못하고 있으며, 따라서 결코 그 거룩한 성으로 들어가지 못할 것입니다. 아리랑당 창추위는 전 세계 각국들에 아리랑당들을 만들어갈 것입니다. 일본 아리랑당, 중국 아리랑당, 북한 아리랑당, 캄보디아 아리랑당, 필리핀 아리랑당, 미국 아리랑당, 브라질 아리랑당, 콜롬비아 아리랑당, 이스라엘 아리랑당, 팔레스타인 아리랑당...

각국의 정당들과 선한 경쟁을 할 것이고, 서민들을 돌보고 공의로 섬기며, 하나님을 경외함으로 섬김으로써 각국에서 집권 정당들이 될 것이고, 정당 정책 연합체로서 이 세계를 정의롭게 바꾸어갈 것입니다. 국제 연합이나 국제기구들이 실패하고 있는 부분들을 정당 연합체로서 해결해나갈 것입니다. 페이스북이 미국에서 만들어져 우리가 쓰고 있고 전 세계가 쓰고 있듯이, 한국에서 만들어진 아리랑당 창추위가 전 세계에서 집권하는 일들은 반드시 이루어질 것입니다.

immanuel reign party. immanuel reign show.
almightily righteous immanuel reign amid national government.
arirang party. 아리랑당입니다.

국내적으로는 강원 아리랑당, 서울아리랑당, 대구 아리랑당, 경기아리랑당, 제주아리랑당, 부산 아리랑당, 인천 아리랑당, 충북 아리랑당, 대전 아리랑당, 충남 아리랑당, 전남 아리랑당, 전북 아리랑당, 광주 아리랑당, 경남 아리랑당, 경북 아리랑당 들이 만들어지고 이스라엘 열두 지파처럼 왕이 없이, 사사 시대처럼 누구도 누구를 착취하는 정치 세력이 없는 연합 체제를 형성할 것입니다.

하나님이 내게 이르시기를 사람을 공의로 다스리는 자, 하나님을 경외함으로 다스리는 자여 그는 돋는 해의 아침 빛 같고 구름 없는 아침 같고

비 내린 후의 광선으로 땅에서 움이 돋는 새 풀 같으니라. 하시도다(삼하23:3-4)

누구든지 으뜸이 되고자 하는 자는 만인의 종이 되어야 하리라. 예수께서 권력 투쟁에 나선 제자들을 불러다가 말씀하셨습니다.

이방인의 집권자들이 그들을 임의로 주관하고 그 고관들이 그들에게 권세를 부리는 줄을 너희가 알거니와 너희 중에는 그렇지 않아야 하나니 너희 중에 누구든지 크고자 하는 자는 너희를 섬기는 자가 되고 너희 중에 누구든지 으뜸이 되고자 하는 자는 너희의 종이 되어야 하리라 인자가 온 것은 섬김을 받으려 함이 아니라 도리어 섬기려 하고 자기 목숨을 많은 사람의 대속물로 주려 함이니라(마태복음 20장25-28)

권력을 가지려는 것이 문제가 아니라, 권력을 어떻게 가지고, 어떻게 행사하는 지가 문제입니다. 섬기는 종들이 선한 방법으로 권력을 획득하고 섬기는 종이 되어 이 땅의 모든 사람들이 참 살만 한 곳으로 바꾸는 일을 하고자 합니다. 아리랑당 창추위는 그런 세상을 꿈꿉니다.

2. 기독정당은 가능한가, 필요한가, 또 어떻게

기독 정당은 가능한 것인지, 또 필요한 것인지, 또 어떻게 해야 하는 것인지에 대해 다양한 의견이 있을 수 있습니다. 아리랑당이 우리의 의지와 상관없이 기독 정당으로 불릴 것이기에 우리는 항상 이와 관련한 대답을 연구하고 가지고 있어야 합니다.

1) 기독 정당이란 무엇인가?

기독교의 정신을 가진 정당이라 할 수도 있고, 기독교의 권익을 대변하는 정당일 수도 있습니다. 기독교의 권익을 대변하는 정당이라고 하더라도 이것이 과연 필요한 것인가에 대해 고민해보아야 합니다. 이 부분은 아마도 기독 정당에 대해 가장 부정적인 이미지를 줄 것이기 때문입니다. 이는 역으로 기독교가 이 세계에 유익을 끼치는 종교라고 한다면, 기독교의 권익을 위하는 정당 자체가 이 세계에 유익을 끼친다는 점에서 그런 공격에 대해 아무런 걱정을 할 필요가 없습니다. 결국 기독 정당은 기독교가 실제 이 세상과 어떤 연관을 가지느냐에 더 큰 영향을 받는다고 볼 수 있습니다.

2) 정치란 무엇인가?

더 넓게 나아가 정치가 무엇이며, 이는 기독교와 어떤 관련성을 가지느냐 하는 점을 살펴보는 것이 기독 정당의 필요성과 관련해서 중요한 답변을 제시할 수 있다고 봅니다. 정치는 모두를 이롭게 하는 것입니다. 이 길은 오직 정의 위에서만 가능합니다. 정의는 신의 뜻에 합당할 때 가능합니다. 그러므로 정치는 신과 가장 밀접한 연관성을 가지고 있습니다. 하나님께서 만왕의 왕이라 표명하시는 이유도 여기에 있습니다. 그러므로 하나님의 자녀 된 사람들이 정치 일선에서 하나님의 나라와 하나님의 의를 위해 정치 활동을 하고 정당을 만드는 것은 너무도 필요한 일입니다.

3) 어떻게?

교회도 비판을 받는 곳들이 많습니다. 그렇다고 교회가 사라져야 하는가요? 더욱더 말씀을 따라 선을 향해 나아가야 합니다. 그리고 그 길로 인도하시는 분은 하나님이십니다. 잘못된 교회는 하나님께서 토해내실 것입니다. 이스라엘에게 아름다운 공동체를 만들라고 기회를 주셨지만 그들이 그렇게 하지 못했을 때 그들은 징계를 받고 뿔뿔이 흩어졌습니다. 우리가 가야 할 길은 성경에 적혀 있습니다.

이전에는 왕이 통치를 했다면, 이제는 정당을 통해 정치가 이루어집니다. 그래서 우리는 정당을 만들어내야 하고 하나님의 뜻에 맞게 정치를 해야 합니다. 왕에게 하나님의 말씀을 주야로 묵상하라 명하신 것처럼, 정당은 주야로 말씀을 묵상하고 이를 현실에 실현해야 합니다.

3. 한국 기독 정당이 가야할 길

한국 기독 정당이 만날 수밖에 없는 여러 문제들에 대해 미리 짚어보고 이야기해보는 시간을 갖도록 하겠습니다.

1) 기독교 정당에 대한 정의
기독교 이념에 기반한 정당을 의미하는 것이지, 하나님의 위임을 받은 정당임을 의미하진 않습니다. 다만 살아계신 하나님께서 이 정당의 모든 일에 역사하시고 이끄실 수는 있으시다는 점입니다. 참새 한 마리의 일에도 관여하시는 하나님께서 기독교적 이념에 부응하여 정당을 만드는 일에 무관심하시지는 않으실 것입니다. 그럼에도 불구하고 교회라 할지라도 라오디게아 교회처럼 토해내실 정도가 될 수 있는 것처럼 기독교 정당도 언제나 이런 오류를 가질 수 있습니다.

2) 성경은 기독교 정당을 부정하지 않는다.

먹든지 마시든지 무엇을 하든지 주를 위하여 하라고 하셨습니다. 정치가 없는 세상은 아예 없습니다. 그렇다면 누군가는 이 정치를 해야 하는데, 이 정치를 주를 위해서 하는 것은 성경에 부합한 일입니다.

그리고 누구든지 사람들 앞에서 주를 부인하는 자는 하나님 앞에서도 그를 부인하겠다고 말씀하셨는데, 정치를 하면서 하나님을 내세우지 않고 하는 것은 성경과 상치됩니다. 성경은 공의를 강조합니다. 정치에서 가장 중요한 것이 공의입니다.

3) 한국 기독교 정당의 유일성 혹은 다양성

성경 해석이 다양하듯이 정치적 입장이 다양하여 한국 안에 여러 개의 기독교 정당이 생길 수 있습니다. 가급적 이를 통합하는 작업이 이루어져야 합니다. 하지만 어떤 점에서는 통합만이 대안일 수는 없습니다.

4) 무엇을 해야 하고 무엇을 지향해야 하는가?

성경에 부합한 정책을 개발하고, 이를 실천해야 합니다. 당연히 그 지향점은 하나님 나라와 하나님의 의입니다. 정치 신학, 정치 철학, 정치 공학의 단계별 구조화를 통해 이 일이 이루어져야 합니다.

5) 정교 분리의 원칙과의 충돌 가능성

정교분리란 목회자 등 종교 지도자들이 집단적으로, 또는 주권적으로 정치권력을 장악하여 행사하는 것을 의미합니다. 따라서 기독교 정당이 한국기독교 목사들에 의해 좌지우지되는 것은 부당한 일이며, 왕과 제사장이 분리되었듯이 기독교 목사들과 기독교 정당 지도자들은 분리되어야 합니다. 다윗 시대의 이스라엘도 그런 점에서 본다면 정교 분리 시대였습니다. 우리는 정교 분리를 하나님을 정치로부터 분리하는 것으로 오해해선 안 됩니다. 세상만사가 하나님으로부터 분리될 수 있는 것은 아무 것도 없습니다.

6) 타종교와의 충돌 가능성

타종교와의 충돌 가능성이 먼저 고민되기 보다는 정치 영역에서 하나님의 나라와 하나님의 의를 어떻게 구현할 것인가가 먼저 고민되어야 합니다. 이 부분에서 확신이 든다면 충돌 가능성이 있다 할지라도 염려하지 말고 전진해야 합니다. 국내에서 충돌 가능성이 높은 것이 불교인데, 이들이 실천하고자 하는 자비를 기독 정당이 실현한다고 하는 점에서 불교의 지지를 오히려 받을 수도 있습니다. 그러나 종교 이기적 관점에서 본다면 당연히 충돌 가능성이 대단히 높습니다.

현재 한국 불교의 수준으로 볼 때 그럴 염려가 많습니다. 하지만 불교의 기본 교리상 정당을 만들기는 어렵습니다. 다만 이들이 기독 정당의 집권 시, 종교적 차별을 우려하여 여러 갈등은 야기할 수 있습니다. 그러나 구더기 무서워서 장 못 담글 수는 없습니다.

7) 교회와의 관계

교회와 기독 정당은 당연히 제사장과 왕의 관계, 또는 선지자와 왕의 관계가 되어야 합니다. 그런데 이제는 만인 제사장 시대이고 또 만인 선지자 시대여서 구약과는 다른 점이 있겠지만 형식적으로 구별되는 점들이 있어서 큰 문제가 될 게 없습니다. 하나님 나라를 위한 협력과 견제를 통해 선한 발전을 피차 도모할 수 있다고 봅니다.

8) 기타 발생 가능 문제들: 부패로 인한 문제.

이것이 가장 큰 문제인데, 특히 집권했을 때 문제가 됩니다. 이렇게 된다면 하나님께 욕을 끼치고 한국 기독교에도 심각한 해를 미치게 됩니다. 이는 또 다른 기독 세력에 의해 교정될 수밖에 없습니다.

9) 어떻게 집권할 것인가?

심은 대로 거두게 될 것입니다. 국민들 속에서 가난한 자들을 돌보고, 공의를 행하면 반기독교적인 사람들 속에서도 지지를 얻는 정당이 될 것입니다. 잠언에 나오는 말씀처럼 가난한 자들을 성실히 신원하는 정당이 되는 길만이 집권과 영구 집권의 유일한 길입니다.

왕이 가난한 자를 성실히 신원하면 그의 왕위가 영원히 견고하리라(잠29:14)

10) 한국 기독 정당과 복음

기독 정당이 성경에 부합하게 움직인다면 마치 믿지 않는 남편과 사는 믿는 아내의 행실을 통해 그 남편이 믿게 될 수 있다고 말씀하셨듯이, 온 나라와 온 세계에 복음이 전파되는 효과를 낼 수 있다고 봅니다. 선교사가 되겠다고 서원하신 분도 이 분야에서 일할 수 있다고 봅니다. 정치 영역이야말로 가장 오지인 선교 분야입니다.

11) 한국 기독 정당과 기존 정당

정치는 권력을 향한 투쟁의 영역일 수밖에 없습니다. 기존 메이저 정당들과 충돌할 수밖에 없습니다. 그런데 여기서 기독 정당의 정치적 목적과 열매가 기존 정당보다 낫다면 이 점에서 아무런 망설임을 가질 필요가 없습니다. 대국민 서비스가 훨씬 더 좋아질 것이기 때문입니다. 이는 하나님도 좋아하실 일입니다. 그러나 그 수준이 기존 정당만도 못하다면 그만 두어야 합니다. 또 그렇게 할 자신이 없다면 아예 시작하지도 말아야 합니다. 그러나 공의를 행해야 하는 것은 기호의 문제가 아니라 우리 기독인의 의무라는 점에서 기독 정당은 반드시 필요한 일입니다. 지혜를 구하고, 공의를 실천하기 위해 불철주야 노력해야 합니다.

12) 기존 정당에 개인적으로 들어가서 정치하는 것과 기독 정당을 만드는 것의 차이.

정당은 기본적으로 이념적이며 총체적입니다. 어느 쪽이 더 나을지는 당연한 일입니다. 다니엘이나 느헤미야가 계속 타국에 있으면서 정치하길 원했을까요.

13) 필요물 (당명. 이념. 정책. 사람. 돈)

정당에 위 다섯 가지가 필수적으로 필요합니다. 그런데 더욱 필요한 것은 하나님의 지지이십니다. 사람이 마음으로 그 길을 계획할지라도 그 걸음을 인도하는 분은 하나님이십니다. 하나님은 이 다섯 가지가 필요한 것을 알고 계십니다. 그래서 어떤 사람들이 이런 정당을 만들기 원한다면 이 다섯 가지 것을 주실 것입니다. 아리랑당의 경우 당명과 이념 정책은 주어졌고, 사람과 돈은 더욱더 보강해야 할 부분입니다.

우리의 기도에 하나님께서 응답하실 것입니다.

14) 직업으로서의 정치

막스베버는 직업으로서의 정치에서 "그럼에도 불구하고 전진할 수 있는 이 사람이 직업 정치가로서 가장 어울린다"고 말했습니다.

존 스튜어트 밀도 자유론에서 사업도 열정을 필요로 하지만, 정치는 정말로 많이 필요로 한다고 이야기했습니다. 하나님 나라를 향한 열정이 넘치는 사람, 어떤 현실에도 다윗처럼 느헤미야처럼 다니엘처럼 좌절 없이 전진할 수 있는 형제자매들을 구합니다.

15) 예수님의 직업

예수님은 십자가에서 어떤 호칭으로 불리셨는지요? 유대인의 왕이셨습니다. 예수님의 직업은 정치가이십니다. 모세의 후손이 아니라 다윗의 후손으로 오셨습니다. 그런데 예수님의 피로 거듭난 사람들이 왕의 일, 정의에 관심이 없다는 것은 역으로 거듭나지 않았을 수도 있는 것 아닌가 하는 의문이 들게 합니다.

See, a king will reign in righteousness and rulers will rule with justice(ISAIAH 32:1)

16) 가이사와 하나님

가이사는 지방 정부이며, 하나님은 중앙 정부이시다고 할 수 있습니다. 가이사의 것은 가이사에게, 하나님의 것은 하나님에게 라는 예수님의 말씀이 제대로 이해되지 못하였거나, 또는 그 뜻을 알고서도 비양심적으로 적용한 사람들에 의해 많은 기독인들이 정치 참여에서 배제되었습니다. 이를 주도한 사람들은 반대로 막후에서 정치와 결탁하고 있었습니다.

17) 공무원과 정치인

기독인들이 공무원 시험은 많이 쳐도 정치인이 되려는 사람은 별로 없습니다. 설교 영향이 큽니다. 목회자들의 잘못된 정치관이 이런 현상을 만들었고, 각 교인들도 따져보지 않고 믿는 결과 이렇게 되었습니다. 이제 성경을 깊이 묵상해야 합니다.

18) 성경과 정치

여호수아서에서 하나님께서는 여호수아에게 말씀을 필사해서 항상 읽고 묵상하라 하셨습니다. 정치가에게 가장 중요한 일은 성경 묵상입니다. 여호수아는 제사장이 아닙니다. 정치는 가치에 관한 많은 것들을 결정하고 실행해야 하는 일입니다. 그래서 성경을 계속 묵상하지 않으면 잘못된 판단을 하게 되고 엄청난 재앙을 초래하게 됩니다.

그러니 성경도 읽지 않는 불교 신자가 정치를 하겠습니까? 성경도 보지 않는 신자유주의가 정치를 하겠습니까? 성경을 태우는 공산주의자가 정치를 잘 하겠습니까? 성경을 열심히 읽는 당신이 바로 제대로 된 정치인이 될 수 있습니다.

19) 심판과 관중과 선수

공명선거 실천협의회, 공의정치실천연대 등등은 해왔습니다. 심판이 되려는 기독인은 조금 있습니다. 관중도 별로 되려고 하지 않습니다.

아예 선수가 되려는 경우는 극히 드뭅니다. 기독 정당은 이제 선수가 되는 길이며 외인구단을 만드는 일입니다. 처칠은 정치를 가장 잘 알 수 있는 길은 선거에 나가는 길이라고 얘기했습니다. 정당을 만들고 선거에 나가는 정치인들이 많아져야 합니다. 그렇지 못하면 늑대 입에서 어린 양들을 구해낼 길이 없습니다. 늑대와 싸우려면 늑대가 있는 곳으로 가야 합니다.

4. 기독 정당과 천년 왕국

낙관적 비관이라는 이야기로 이 세상에 정의로운 세계를 건설하는 것은 결국 어려울 것이라 이야기하는 사람들이 있습니다. 그래서 아예 이들은 정당을 만들려는 생각이나 정치하려는 생각을 갖지 않고, 시민운동 정도에 머무릅니다. 그러나 이런 사람들이 기독 세계에서 리더십을 갖게 되면 또 다른 문제들이 벌어집니다. 한 달란트 가진 사람이 보였던 소극적 행동이 만연하게 되고 이 땅의 악은 더욱더 확대되게 마련입니다.

주님이 오실 날과 시는 그 누구도 알 수 없습니다. 우리는 최선을 다해 정의를 실현하기 위해 노력해야 합니다.

자신의 집을 마련하고 대리석으로 꾸며서 백년 왕국으로 만들려는 시도에는 목숨과 재산을 거는 사람들이, 온 세계에 정의를 실현하는 일은 불가능하다고 아예 시도조차 하지 않습니다. 최소한 자기 집에 대한 사랑과 자신에 대한 사랑 만큼만이라도 이 세계의 정의를 위해 노력한다면 이 세계는 훨씬 더 살만한 곳으로 바뀔 것입니다.

주님이 재림하셨을 때, 사람들 가운데 믿음을 찾아보기 힘드실 것이라

고 말씀하셨습니다. 이 말씀을 잘못 해석하여, 그렇기 때문에 비관적이
라고 생각하고서 아예 믿음 없이 사는 것은 바로 한 달란트 가진 사람의
길로 가는 것입니다. 십자가에 달리신 예수님은 비관론자가 아니셨습니
다. 그가 만약 세상과 타협하셨다면, 정의로운 세계를 향한 믿음이 없으
셨다면 십자가의 길로 가지 않으셨을 것입니다. 십자가의 길로 가지 않
기 위한 명분을 쌓기 위해 낙관적 비관론을 이용하는 사람이 되지 않아야
합니다.

5. 유대인의 왕은 세계의 왕

　예수님께서는 빌라도의 질문에 유대인의 왕이라 대답하셨습니다.(마27)
유대인의 왕은 세계의 왕입니다. 그런데 여기서 유대인은 참 유대인을
가리킵니다. 참 유대인은 아브라함의 후손입니다. 믿음의 후손입니다.
실상은 사탄의 회인 유대인이 아니라, 산 자의 하나님의 산 자들입니다.
예수님은 우리의 왕이십니다.

6. 하나님의 나라와 하나님의 의

　무엇을 먹고 무엇을 마실까 염려하는 것이 이 세상 사람들의 공통된
특징입니다. 가인도 이렇게 살았고, 오늘날도 대부분의 사람들이 이렇게
삽니다. 그런데 가인이 예배를 드렸습니다. 그는 겉으로는 하나님의 나
라를 찾는 사람 같았습니다. 그러나 그는 하나님의 의를 구하지 않았습
니다. 실은 하나님의 나라도 구하지 않았고 자신의 나라를 구했던 사람

입니다. 이스라엘도 마찬가지입니다. 예수님 당시의 유대인들은 하나님의 나라를 구한 것이 아니라, 자신들의 나라를 구했습니다. 그들은 회개하지 않고 독립만을 원했습니다. 메시아가, 타락한 자신들을 로마로부터 독립시켜주길 원했습니다. 오늘날 기독인들도 마찬가지입니다. 다윗은 시편 15편 말씀을 통해 하나님의 나라와 하나님의 의에 대하여 우리에게 선지자 역할을 해주십니다. 베드로는 사도행전에서 예수님께서 그리스도이심을 다윗의 시편 16편을 통해 증명하시면서 다윗이 선지자라고 말씀하셨습니다.

 우리는 시편 15편 말씀을 통해 하나님의 나라와 하나님의 의에 대하여 알 수 있고, 누가 하나님의 나라에 들어갈 수 있는지 알게 됩니다. 여호와여 주의 장막에 유할 자 누구 오며 주의 성산에 거할 자 누구 오니이까(시15:1) 주의 장막 주의 성산은 포괄적으로 하나님의 나라를 의미합니다. 단순히 성전을 넘어서 하나님의 나라를 의미합니다. 바로 하나님의 나라에 들어갈 수 있는 자가 누구인가에 대해 하나님께 여쭙고 있습니다. 그리고 하나님으로부터 받은 영감으로 다윗은 그 답변을 주고 있습니다. 정직하게 행하며 공의를 일삼으며 그 마음에 진실을 말하며 그 혀로 참소치 아니하고 그 벗에게 행악치 아니하며 그 이웃을 훼방치 아니하며 그 눈은 망령된 자를 멸시하며 여호와를 두려워하는 자를 존대하며 그 마음에 서원한 것은 해로울지라도 변치 아니하며 변리로 대금치 아니하며 뇌물을 받고 무죄한 자를 해치 아니하는 자니 이런 일을 행하는 자는 영영히 요동치 아니하리이다(시15:2-5)

 그 내용은 철저히 세상에서의 일에 있어서 정의로운 행함에 관한 내용이며, 이를 행하는 자가 하나님 나라에 들어갈 수 있다고 이야기합니다.

예수님께서는 무엇을 먹을까 무엇을 마실까 염려하지 말라 이는 이방인들의 구하는 것이니, 너희는 먼저 그의 나라와 그의 의를 구하라고 하셨습니다.

7. 예수님이 비정치적이셨는가

예수님께서 비정치적이셨다고 말하는 설교자, 신학자들이 많습니다. 그런데 이는 큰 오해입니다. 그리고 이런 이론이 많은 기독인들을 비정치적으로 만들고 있습니다. 그들이 드는 이유는 로마 황제에 대항하지 않으셨다는 것인데, 이는 성경을 알지 못하기 때문에 하는 말입니다. 예수님은 하나님이십니다. 로마 황제에 대항하고 안하고가 아니라, 그 로마 황제를 세우신 분이 예수님이십니다. 느부갓네살을 세우신 분이 하나님이시듯이, 예수님은 로마 황제를 세우신 분이십니다.

그럼 예수님이 반민족주의적 행위를 하신 것일까요? 이것도 마찬가지입니다. 예수님은 이스라엘이 앗수르에게, 유대가 바벨론에게 망하게 하신 분이십니다. 이 행위가 반민족 행위입니까? 이는 이스라엘과 유대의 죄악에 대한 심판이셨습니다. 마찬가지로 이스라엘이 로마에 망한 것도 하나님의 심판이셨습니다. 이 행위 자체가 정치적이십니다.

결국 이렇게 볼 때, 예수님이 비정치적이셨다고 보는 것은 난센스입니다. 예수님은 정치적이셨습니다. 정권을 세우시는 일을 감당하시는 분이십니다.

대통령이 강남구청장이 되지 않는다고 지방 자치에 관련이 없다고 말할 수 있습니까? 대통령은 강남구청장을 지휘하는 위치에 있습니다.

예수님은 오히려 사도 바울의 말씀으로 볼 때도, 모든 권력은 하나님께로부터 왔고, 이 권력을 주시기도 하시고 빼앗기도 하시는 정치적인 분이십니다. 우리는 하나님의 뜻에 맞게 권력을 얻어야 합니다. 피는 돌아야 합니다. 돈은 돌아야 합니다. 머리는 돌면 위험합니다. 우리는 가난한 사람들을 성실히 돌봄으로써 권력을 얻고, 또 그들을 끝까지 성실히 돌봄으로써 그 권력을 영구히 유지해야 합니다.

8. 기독인이 돈보다 권력을 더 추구해야 하는 이유

누구든지 으뜸이 되고자 하는 자는 만인의 종이 되어야 하리라고 말씀하셨습니다. 세상의 군왕들과 달리 임의로 주관하려 하지 말고 만인의 종이 되라고 하셨습니다. 힘써 부하려고 하지 말라고는 말씀하셨지만, 권력을 추구하지 말라고는 말씀하지 않으시고 오히려 권력에선 최고가 되라고 하셨습니다. 그런데 많은 설교에서 돈을 벌기 위해 열심히 노력하라고는 하지만, 대통령이 되기 위해, 집권하기 위해 노력하라는 말씀은 잘 전하지 않습니다.

9. 다종교 국가에서 기독 정당

대한민국이 다종교 국가이므로 기독 정당을 만들면, 종교 전쟁이 일어나므로 안 된다고 말하는 사람들이 있습니다. 그것도 기독인들이 이렇게 말합니다. 저는 이 사람들이 왜 교회에 다니는지 의심스럽습니다. 오직 유일하신 하나님을 섬기는 기독교에서 다른 종교를 인정하는 것 자체가 얼마나 우스꽝스러운 일인지요. 우리는 아예 다른 종교를 인정하지 않습니다. 이를 인정하려면 저는 아예 교회에 다니지 않겠습니다. 이걸 하려면 하든지 저걸 하려면 하든지 둘 중 하나만 하지 어떻게 완전히 반대되는 두 일을 동시에 하는지 이해가 되지 않습니다.

　종교 다원주의 기독인들이 그래서 이해가 되지 않습니다. 차라리 이들은 다른 종교를 만들기 바랍니다. 그리고 그 길은 저주의 길이 될 것입니다. 바로 이런 기반 위에서 아리랑당은 출발합니다. 우리는 우리의 길을 갈 뿐입니다. 하나님이 유일하신 신이 아니라면 기독 정당은 만들어질 이유가 없습니다. 그런데 하나님이 유일하신 신이시므로, 정치 영역에서도 당연히 하나님의 뜻을 따라 가야 합니다. 그러니 다종교 사회이든 아니든 이것은 하등의 고려 조건이 되지 않습니다.

　다만, 정권을 획득하는 과정이나 획득해서나, 폭력으로 타종교인들을 억압하지는 않을 것입니다. 이는 오직 전도의 미련한 것으로 이뤄져야 하는 일이기 때문입니다. 종교 이익을 대변하는 정당이 아니라, 정의를 대변하는 정당인데, 이 정의는 하나님께서 알파와 오메가이시므로 당연히 하나님 중심으로 정당 활동이 이루어져야 하고 그럴 때만 진정한 정당의 역할을 다할 수 있습니다.

　그런데 여기에서 하나님을 빼라 하는 것은 정의의 알파와 오메가를 빼라 함이요, 결국 정의와 상관없는 정치를 하라는 것과 같습니다. 불교가 정당을 만들고 석가 이야기를 하는 것과, 우리가 하나님의 뜻을 실천하기 위해 정당을 만드는 것은 마치 석가와 하나님을 비교하는 것과 같은 어리석음입니다. 석가는 피조물이요, 하나님은 창조주이십니다. 그건 너희 생각이라고요? 모든 것은 열매로 알아봅니다. 이것이 우리 생각이었다면 그렇게 끝날 것이고, 이것이 하나님의 생각이셨다면 선한 열매를 맺게 될 것입니다.

　종교는 기본적으로 정치적이며, 정치는 기본적으로 종교적입니다. 종교는 세상에 대한 철학을 내재하고 있으며, 이는 사회관계에 직접적 영향을 미치기 때문에 정치적입니다.

기드온이 우상의 목을 베어냈을 때, 그의 아버지가 기드온을 옹호하며 했던 말처럼 그 우상이 진짜 신이라면 기드온과 직접 싸울 것입니다. 우리의 정치, 공의 정치, 하나님 경외 정치가 잘못된 것이라면 다른 신들이 우리와 직접 싸울 것입니다

10. 하나님의 종 느부갓네살과 가이사

　하나님께서는 예레미야를 통해 바벨론 왕 느부갓네살이 하나님의 종이 되어 열방을 다스리게 하셨다고 말씀하십니다.(렘27:6-7) 예수님께서는 로마 황제 가이사의 것을 그에게, 하나님의 것을 하나님께 드리라고 말씀하십니다. 로마 황제가 이스라엘을 다스릴 수 있었던 것은 느부갓네살과 마찬가지의 이치입니다.

　가이사도 결국 하나님의 종이었습니다. 당연히 그는 예수님의 종이었습니다. 이것을 이스라엘의 독립에 관심이 없으셨던 것으로 기독인들이 오해하고 있습니다. 어찌 정치에 관심이 없으신 분이 느부갓네살과 가이사를 세우시는 일을 하시겠습니까?

　왕을 세우는 일이야말로 정치적인 일입니다. 예수님은 자신이 세우신 권력자들 앞에 계셨던 것입니다.

예수님을 십자가에서 돌아가시게 한 빌라도도 결국 예수님께서 세우신 권력자였습니다.

느부갓네살은 자신과 하나님의 관계를 후에야 정확히 인지했습니다. "땅의 모든 사람들을 없는 것 같이 여기시며 하늘의 군대에게든지 땅의 사람에게든지 그는 자기 뜻대로 행하시나니 그의 손을 금하든지 혹시 이르기를 네가 무엇을 하느냐고 할 자가 아무도 없도다.

그 때에 내 총명이 내게로 돌아왔고 또 내 나라의 영광에 대하여도 내 위엄과 광명이 내게로 돌아왔고 또 나의 모사들과 관원들이 내게 찾아오니 내가 내 나라에서 다시 세움을 받고 또 지극한 위세가 내게 더하였느니라"(다니엘 5:35-36)

다니엘서는 이 부분을 정확히 정리해주십니다. 지극히 높으신 이가 사람의 나라를 다스리시며 자기의 뜻대로 그것을 누구에게든지 주시며 또 지극히 천한 자를 그 위에 세우시는 줄을 사람들이 알게 하려 함이라 (다니엘 4:17 중)

느헤미야도 이 부분을 정확히 정리합니다.

"우리의 죄로 말미암아 주께서 우리 위에 세우신 이방 왕들이 이 땅의 많은 소산을 얻고 그들이 우리의 몸과 가축을 임의로 관할하오니 우리의 곤란이 심하오며"(느헤미야 9:37)

11. 우리는 국가로서 무엇을 이뤄내야 하는가?

국가라는 수단으로써, 국가라는 위치, 국가라는 자격으로서 우리는 무엇을 이뤄내고자 하는가에 대한 답이 우리 안에 내재되어 있어야 기독정당으로서 제대로 기능할 수 있다.

여호와를 그 하나님으로 섬기는 나라는 복이 있다는 말씀이 있다. 하나님은 세계를 창조하셨고, 여러 민족이 생겨나도록 하셨다. 그리고 아브라함에게 그 후손 중에 많은 왕들이 나올 것이고, 그 후손은 바닷가의 모래와 같이 많은 것이라고 하셨다. 누가 아브라함의 후손인가! 그의 믿음을 따라 살아가는 사람들이 아브라함의 후손이다. 아브라함을 통해 이삭과 이스마엘이 태어났다. 이삭은 믿음의 후손이다. 그리고 야곱이 태어났고, 이스라엘의 열두 아들이 태어났다. 그러나 이들의 후손들은 예수님을 거부했고 십자가에 못박았다. 그리고 믿음이 이방인들에게 퍼져나갔다. 이스라엘의 관점에서는 이방인이지만, 노아의 후손으로서는 여전히 노아의 순종 아래에 있던 사람들의 자손이다.

하나님께서는 이 세상을 하나님을 경외하고 이웃 간에 서로 사랑하는 사람들이 가득한 세상을 만들고자 하셨다. 특별히 이스라엘을 택하셔서 국가적으로 어떻게 정의로운 공동체를 만들 수 있는지에 대해 말씀하셨고, 그들을 인도하셨고 돌보셨다. 그러나 이스라엘은 지속적으로 실패했다. 후에 복음을 통해 많은 이방민족들이 하나님을 믿게 되었지만, 기독교라는 이름으로 또 많은 실패를 했다. 그래도 하나님의 역사는 지속된. 대한민국 가운데서 온전한 나라, 하나님을 섬기는 나라, 정의로운 나라를 만들기 위한 노력에 참여한다.

이는 후에 우리가 천국 생활하는 데 큰 도움이 될 것이다. 개인으로서의 신앙만이 아니라, 하나님의 나라를 구하는 사람들로서 그 모델을 찾아가고 이루고 살아가는 것 이것은 쉽게 오지 않는다. 부단한 노력과 시도를 통해 더욱더 완전한 모습을 드러낼 것이다.

하나님의 나라는 여기 있다 저기 있다 할 것이 아니요, 너희 가운데 있느니라는 예수님의 말씀은 그래서 진실이고 진리이다. 이 진실과 진리를 추구하는 우리의 정치가 바로 먼저 하나님의 나라와 의를 구하는 일이다.

다음의 대한민국 헌법 제8조는 정당에 대한 조항이다.

제8조

①정당의 설립은 자유이며, 복수정당제는 보장된다.

②정당은 그 목적·조직과 활동이 민주적이어야 하며, 국민의 정치적 의사형성에 참여하는데 필요한 조직을 가져야 한다.

③정당은 법률이 정하는 바에 의하여 국가의 보호를 받으며, 국가는 법률이 정하는 바에 의하여 정당운영에 필요한 자금을 보조할 수 있다.

④정당의 목적이나 활동이 민주적 기본질서에 위배될 때에는 정부는 헌법재판소에 그 해산을 제소할 수 있고, 정당은 헌법재판소의 심판에 의하여 해산된다.

다음의 시편 67편은 우리에게 귀한 답을 주신다.

1 하나님은 우리에게 은혜를 베푸사 복을 주시고 그의 얼굴 빛을 우리에게 비추사 (셀라)

2 주의 도를 땅 위에, 주의 구원을 모든 나라에게 알리소서

3 하나님이여 민족들이 주를 찬송하게 하시며 모든 민족들이 주를 찬송하게 하소서

4 온 백성은 기쁘고 즐겁게 노래할지니 주는 민족들을 공평히 심판하시며 땅 위의 나라들을 다스리실 것임이니이다 (셀라)

5 하나님이여 민족들이 주를 찬송하게 하시며 모든 민족으로 주를 찬송

하게 하소서

6 땅이 그의 소산을 내어 주었으니 하나님 곧 우리 하나님이 우리에게 복을 주시리로다

7 하나님이 우리에게 복을 주시리니 땅의 모든 끝이 하나님을 경외하리로다

12. 다윈의 종의 기원과 하나님의 통치

아마도 근대 세계에서 종의 기원처럼 국제 사회에 커다란 영향을 미친 책도 적을 것이다. 생물학 관련 책이면서도 정치 경제 군사 분야에 심대한 영향을 미쳤으며 그 영향력은 오늘날까지도 계속되고 있다. 세계화의 근저에 깔려 있는 철학도 종의 기원이 가지는 세계 인식에 기반하고 있다고 본다. 다윈은 이 책을 통해 개별 종이 창조된 것이 아니라 끊임없이 변화하여 지금 상태에 이르렀다고 주장한다. 그 변화 과정의 핵심은 최적자 생존론이다.

여러 변이 종들 가운데 경쟁과 환경에 가장 잘 적응하고 종의 번식을 확산시킬 수 있었던 종만이 살아남았다고 본다. 그러면 그 증거가 되는 중간 변종이 지질학적으로 남아있지 않은 것은 어떻게 된 것인가에 대해 반증을 하면서 이는 지질학적 증거의 빈약성으로 인한 것이지 그것 자체가 없었기 때문이 아니라고 한다. 다윈은 다양한 자료를 통해 자신의 논리를 증명해가고자 한다. 그래도 그의 책이 고전화된 것은 바로 이러한 다양한 자료를 통해 증명을 시도했기 때문일 것이다. 개별적으로 보면 상당히 일리가 있는 논리를 가지고 있다. 그러나 그가 가진 논리의 전체적 맥락을 보면 문제가 있음을 알 수 있다.

최적자 생존은 왜 존재할 수 있는 것인가 하는 점이다. 이것은 자연 스스로 가진 것인가? 아니면 그 시스템 자체가 생명체에 주어진 것인가 하는 점이다.

바로 이 점에서 다윈은 그 시스템 자체를 스스로 가지고 있다고 보는데 이것이 그의 오류가 된다. 동일 시스템이 다양한 종을 지배하고 있다는 것은 외재적 설계의 증거라고 볼 수 있다.

하나님이 자연 전체를 살리기 위해 이 시스템을 도입하셨다고 본다. 즉 어느 정도의 유연성을 각 종들에 허락하신 것이다.

다윈은 책의 중간에 자신이 시초 창조에 대해 따져볼 수 있는 지식을 가진 것은 아니며 다만 종들이 변해간다는 것을 토대로 지금의 종들이 이렇게 창조되지 않았다고 주장한다고 말한다.

그는 자신의 지식의 한계에 대해 여러 번 말한다. 특히 논리가 궁색해질 때도 그런다.

그러면 최적자 생존론은 근대사에 어떤 영향을 미쳤는가? 다윈은 종내에서는 타자를 살리기 위한 협조는 없다고 말한다. 오직 살아남기 위한 치열한 경쟁만이 존재한다고 한다.

자본주의의 확산과 더불어 서구 사회는 신을 떠나 자신들의 이성을 극대화하는 합리주의 사회로 접어들면서 오로지 경쟁만이 그들의 신이 된다. 특히 군사주의와 맞물려 이 운동은 증폭되어진다.

서구 유럽에서는 19세기의 세력 균형 정책은 깨어지고 20세기로 접어들면서 폭력적 지배가 확산되었고 결국 1,2차 세계 대전이 발생하게 된다.

협조와 공생보다는 경쟁만이 강조되는 지구 질서가 이 결과를 가져왔다. 아직도 그 파괴력은 계속되고 있다. 아직도 이 철학은 곳곳에 스며들어 있다. 이로 인해 아프리카, 아시아 등 제3세계 지역 등은 특히 많은 고난을 받았다. 이 과정에서 가장 혜택을 본 국가는 미국이었다. 그들은 바로 열등한 인종 흑인들과 황인들을 노예로 부리면서 자유의 깃발 아래 타인들의 자유를 짓밟으며 자본의 확대를 실현했다.

그러면 다윈의 최적자 생존론은 틀린 것인가?

그렇지 않다고 본다. 자연계에서의 최적자와 인류에서의 최적자를 구별하지 못하고 이를 그대로 적용한 근대 이성의 오류였다.

동물이나 식물 세계에서 다윈의 최적자 생존론은 타당하다고 본다. 한 종의 한 개체의 영향력의 범위는 언제나 한정되어있다. 식물의 경우 바람에 날려간다 해도 그것이 떨어진 곳에서 또다시 타 종들의 영향을 받으면서 무한정 확산에 제지를 받게 되어 있다. 그리고 언제나 한 종은 먹이 사슬을 통해 다른 종에 종속되게 되어 있다. 그리고 지나치게 한 종이 많아질 때 먹이 사슬은 그 종의 개체수를 한정시키는 시스템이 자연계에는 존재한다.

즉 자연계는 스스로 자기 전체를 보존하는 일정한 시스템을 유지하고 있고 각 개체들은 이 시스템 자체를 변화시킬 능력은 없으며 그 시스템 속에서 적응해가거나 도태해가며, 따라서 종들의 변이가 시스템 전체를 파괴하는 일은 전연 나타날 수가 없다.

그러나 이것이 인간 사회에 적용되면 달라진다.

인간은 시스템 자체를 파괴할 수 있기 때문이다. 자연계의 종들은 그것이 아무리 강해진다 해도 도구 사용이 한정되어 그 팔이 미치는 범위에서 영향력을 행사하지만(설령 식물 중 바람에 날려간다 해도 그 지역에서 다시 이렇게 될 수밖에 없다) 인간은 1m 도 되지 않는 팔을 넘어 지구 바깥으로도 그 힘을 행사할 수 있는 능력을 지니고 있기에 그 파괴력은 상상을 초월한다.

그 파괴력은 전쟁을 통해 증명된다. 인간은 창조력을 지니고 환경에 적응해가지만 그 악한 심성은 파괴력을 가지고 전체를 공멸시킨다. 또 파괴를 입은 상대는 복수의 칼을 갈게 되고 다시 전체를 파괴하는 일을 벌이게 된다.

특히 핵무기나 생화학 무기의 개발은 이러한 현실을 앞당겼다. 원시 시대처럼 칼로 싸울 때는 많아야 한 사람의 훌륭한 전사가 한꺼번에 수백 명밖에 죽일 수 없었다. 그러나 지금은 단추 하나를 누르는 것으로도 지구 전체를 날려버릴 수 있다.

자연계의 최적자와 인류의 최적자는 구별되어야 한다. 자연계에서는 가장 우량하며 종을 확산시킬 수 있는 것이 최적자이지만, 인류에 있어서는 그와 함께 인류와 자연 전체를 사랑하는 자가 최적자가 된다. 그렇지 않으면 복수를 불러오는 강압이 그의 수단이 되어 결국 자신도 그 칼에 맞아 죽기 때문이다.

그래서 예수님은 온유한 자가 땅을 차지한다고 말씀하신 것이다. 동물이나 식물은 온유한 자가 아니라 강한 자가 땅을 차지하지만 인간은 온유한 자가 땅을 차지하는 최적자가 될 것임을 창조주 예수님께서는 말씀하신 것이다.

다윗의 짧은 팔이 도구 사용을 통해 골리앗의 긴 팔을 이겼는데 이는 동물계에선 있을 수 없는 일이다. 하지만 그 다윗이 땅을 차지하게 된 것은 도구 사용 능력이 아니라 영적 능력, 즉 하나님과 이웃을 사랑하는 능력 때문이었다.

자연계에서는 개별 개체의 힘의 경쟁이 전체의 성공을 가져오는 공평한 룰이지만 인류계에선 사랑의 경쟁이 전체의 성공을 가져오는 공평하고 정의로운 룰이 된다.

하나님은 이렇게 자연계와 인류계의 유지 시스템에 구별을 두신 것이다. 이것을 깨닫지 못하고 자신의 명철에 매달린 인류는 스스로 파멸의 길로 치달을 것이다.

다윈은 그 책의 마지막 부분에서 이렇게 말한다.

"생명은 최초에 창조자에 의하여 소수의 형태로, 또는 하나의 형태로, 모든 능력과 더불어 불어넣어졌다는, 그리고 이 행성이 확고한 중력의 법칙에 의해서 회전하고 있는 동안에, 이러한 단순한 발단으로 해서 이와 같이 가장 아름답고, 경탄할 만한 무한한 형태가 생겨났고, 또한 진화되고 있다는 견해에는 장엄함이 깃들여 있는 것이다."

이 앞 구절은 '그리하여 직접으로 자연계의 싸움에서, 또한 기근과 죽음에서, 우리가 상상할 수 있는 것 중에서 가장 최고의 것은 고등동물의 산출에로 귀결되는 것이다."

조금은 애매했던 것을 확실히 표현한다. 그는 창조를 믿는다. 그러나 현재의 종의 형태로 창조되었다는 것은 믿지 않는다. 인간도 창조된 것이 아니라 진화되었다고 보고 있는 것이다. 그러나 그는 직접적으로 이 말을 쓰지 않는다.

기독교적 창조론, 창세기적 창조론에는 반대하고 있다고 볼 수 있다. 탐구하려는 다윈의 자세는 본받을 만하다. 기독교인들이 이렇게 집요하게 탐구해야 한다.

그러나 다윈이 수시로 말했던 것처럼 알 수없는 여러 사실들, 더 이상 파악할 수 없는 증거들로 가득한 세상에서 결국 우리는 추론할 수밖에 없다. 다만 더 많은 사실들을 탐구해가면서.

따라서 마지막 추론이 얼마나 중요한 것인가! 다윈은 세계에 대한 낙관론을 편다. (p.502) 어려운 환경들을 이겨내며 지금의 종들이 만들어졌다는 것이다. 그러나 지금의 인간들을 보라.

다윈은 바로 합리적 낙관주의의 시대인 이었다. 다윈의 낙관론을 따라 우리는 창조주 하나님께서 주신 소망을 따라 하나님의 나라를 이루시려는 하나님의 열심이 반드시 성취되실 것을 믿는 믿음으로 사랑의 나라를 이루어가고자 그리스도 통치론에 입각한 기독 정당, 아리랑당을 만들어 가고자 하는 것이다.

13. 모택동의 모순론과 시진핑의 중국몽, 그리스도 통치론

모택동 사상이 여전히 우리의 이웃 국가이며, 어떤 점에서 기독교 세계관과 가장 큰 충돌을 빚고 있는 중국을 장악하고 있다. 그래서 우리는 그들의 사상을 연구해야 하고, 그들에게 하나님의 말씀을 전해야 한다. 모택동이 여러 책을 썼는데 모순론도 그 중 하나다. 이들이 이 세상을 어떻게 보고 있고, 어떻게 행동할지를 알 수 있는 주요 단서를 준다. 그들이 보고 있는 모순이 무엇이고, 이는 다시 기독교 세계에 대해서도 이런 관점에서 보고 있다는 것을 짐작할 수 있다. 중국에서 기독교 탄압이 갈수록 심해지고 있다고 말한다.

모택동이 제국주의 일본의 침략이라는 조건의 변화 속에서 중국 공산당이 취해야 할 방향을 제시하고자 쓴 책이다.

모순에는 동일성과 투쟁성이 있으며 전자는 조건이며 상대적이고 후자는 절대적인 것이라고 말한다. 모순에는 다양한 종류가 있으며 이 중 반드시 주요 모순이 있으며 나머지 모순들은 부차적인 것이 된다고 모택동은 보고 있다. 하지만 이런 모순들 사이의 상호 관계도 지속적으로 변화하는 것이며 부차적 모순이 주요 모순이 되고 주요 모순이 부차적인 것으로 변화한다고 말한다.

예를 들어 이 글을 쓸 당시의 중국은 1937년 경 으로서 제국주의와 반식민지, 자본주의와 사회주의, 반봉건과 민주주의, 무산 계급과 자산 계급 등의 각종 모순이 혼재되어 있는 상태였다고 말하는데 일제의 침략을 주요 모순으로 볼 것인가 그렇지 않은가는 구체적 정세를 구체적으로 분석하는 데서 파악될 수 있다고 말한다. 교조주의적 해석으로 이 판단이 그릇되면 결국 혁명은 실패하고 만다고 말한다.

중국 공산 혁명의 여러 과정에서 이런 실패가 있었는데 이는 모두 이러한 잘못된 정세 판단에서 비롯된 것이라고 모는 말한다. 모택동은 이런 사람들의 특징이 지피지기하려는 것이 부족함에 있다고 말한다. 사회주의자일수록 자본주의를 연구해야하고, 일본을 연구해야 한다고 말한다. 우리에게 시사점이 크다.

우리 당이 불교를 연구하고 이슬람교를 연구하고 세계 철학을 연구해야 하고 사회주의 자본주의 모두를 연구해야 하는 이유가 여기에 있다. 또 주변 국가들에 대한 연구가 필요하다.

그는 책의 말미에서 모순에는 적대가 있지만 이 적대가 절대적이지만은 않다고 본다. 모택동은 마르크스와 레닌, 그리고 스탈린의 이론을 충실히 인용한다. 동양의 고전들도 인용한다. 폭넓은 독서가 얼마나 중요한지를 잘 보여준다.

마르크스의 유물론적 변증법에 입각한 정치경제학 이론이야말로 구체적 정세를 구체적으로 분석한 예시로 본다. 지배 계급의 굳어져버린 형이상학 대신 만물의 변화를 보여주는 유물론적 변증법이 세계의 인식을 바꾸어놓았다고 말한다.

그럼 우리의 irparty는 무엇인가?

immanuel reign party는 무엇인가?

낮은 자를 들어 높은 자를 부끄럽게 만드시는 하나님의 역사 변경 원칙은 무엇인가? 지배계급과 피지배계급의 모순이 조건이라는 동일성 속에서 통일되어 있지만 투쟁은 지속되고 적대 관계로 발전하여 결국 변화되어지는 속에서 하나님의 역할은 무엇이신가?

이 변화의 핵심에는 무엇이 존재하는가?

자본주의에서 사회주의로 가면 모순이 여전히 존재하지만 공산주의로 가면 모순이 소멸(6)한다고 하는데 하나님의 나라는 어떤 곳인가? 우리는 모순의 완전한 소멸은 의의 완전한 지배에서만 가능하다고 본다. 완전히 의로우신 분은 하나님 한 분이시다. 그래서 하나님의 나라에서만 모순은 소멸된다. 사람의 나라에서는 모순이 소멸될 수 없다. 사랑이 지배하는 나라에서만 모순이 소멸되고 영구 평화가 실현된다. 우리 아리랑당이 지향하는 나라는 이런 곳이다.

모택동 사상을 이어받은 시진핑의 중국몽은 예수 그리스도의 천국몽과 충돌할 수밖에 없다. 그러나 승리는 정해져 있다.

"네가 철장으로 그들을 깨뜨림이여 질그릇 같이 부수리라 하시도다"(시

편 2:9)

너희는 먼저 그의 나라와 그의 의를 구하라 하신 예수님의 말씀이 중국 나라도 아니고, 김일성 나라도 아니다. 오직 여호와를 자기 하나님의 세운 나라들, 여호와를 진정한 자신들의 왕으로 세운 나라들만이 살아남을 것입니다.

1. [시편 33:12]
여호와를 자기 하나님으로 삼은 나라 곧 하나님의 기업으로 선택된 백성은 복이 있도다

2. [시편 144:15]
이러한 백성은 복이 있나니 여호와를 자기 하나님으로 삼는 백성은 복이 있도다

14. 예수님은 정치적, 한국 교회는 반정치적

예수님은 정치적이셨습니다. 그러나 지금의 대부분의 한국 교회는 반정치적입니다. 예수님은 로마 황제를 세우셨습니다. 그러나 교회는 하나님께서 원하시는 자들을 세우지 않습니다. 예수님은 정의를 실현할 사람을 왕으로 세우십니다. 그러나 그가 그 일을 제대로 수행하지 못할 때는 과감히 그를 제거하십니다. 그러나 교회는 여기에 별 관심이 없습니다.

예수님의 제자들은 악한 로마 황제 네로에게 큰 탄압을 받았습니다. 요한계시록에서 저자는 이들을 예수님께서 제거하실 것이라고 예언합니다. 그러나 현 한국 교회의 지도자들은 전두환 같은 자에게 충성을 맹세

하고 그의 악행을 도왔습니다. 그를 위해 축복까지 해주었습니다. 발람의 악한 길로 갔습니다.

예수님께선 로마 황제와 대항하지 않은 것을 두고 예수님이 비정치적이셨다고 해석하는 사람들이 있습니다. 그러나 이는 큰 오해입니다. 예수님께서 이스라엘을 로마의 압제 가운데 두신 분이십니다. 마치 바벨론이 유대를 압제하게 하신 것처럼. 악한 이스라엘과 유대를 치리하시기 위해 하나님께서는 여러 차례 이런 방법을 사용하셨습니다. 예수님은 백성들의 삶을 돌보셨습니다. 이스라엘 전역을 들으시면서 백성들을 위로하고 정의를 가르치시고, 병을 고치시고, 먹을 것을 주셨습니다. 심지어 자기 몸까지 내어주셨습니다. 이생과 내생을 모두 책임지시는 진정한 정치가이셨습니다.

그러나 교회는 이 땅의 백성들의 고통을 돌보지 않습니다. 백성들이 어떤 고통에 있는지 별 관심이 없습니다. 병을 고쳐주지도 못하고, 그들의 배고픔, 무주택의 문제도 해결해주지 못합니다. 오히려 그들에게서 십일조만 받아 챙깁니다. 결코 이 땅의 목회자들이 그 목숨을 백성들을 위해 내어놓지 않습니다. 오히려 백성들을 잡아먹는 자들이 나타날 때 침묵하고 동조합니다. 삯군 목자이기 때문입니다.

예수님은 태어나 시면서부터 돌아가실 때까지 정치적 탄압을 받으셨습니다. 태어날 때 헤롯에게, 돌아가실 때 빌라도에게 탄압을 받으셨습니다. 악한 정치가들에게 탄압을 받으셨던 것입니다. 그 이유는 그가 선한 정치가이셨기 때문입니다. 그러나 이 땅의 교회는 태어날 때부터 죽을 때까지 탄압을 받지 않는 곳이 많습니다.

예수님은 스스로를 유대인의 왕이라 하셨습니다. 그러나 교회는 정치와 상관없다고 하며, 교인들의 정치 행위를 방해합니다. 예수님은 가난하셨으나, 스스로를 가난하게 유지하셨으나 교회는 스스로를 끊임없이 부하게 만들려 합니다. 예수님은 권력자들을 비판하셨으나, 교회는 그들을 비판하지 않습니다. 예수님은 철저히 왕으로 사셨으나, 교회는 철저히 비굴하게 살아갑니다. 예수님은 악한 권력자들을 축복하지 않으셨으나, 이 땅의 교회는 그 자들을 축복합니다. 예수님은 악한 권력자들의 비호를 받으려 하지 않으셨는데, 이 땅의 교회는 악한 권력자들의 비호를 받으려 하고 그들의 후원자가 되어줍니다. 예수님은 악한 권력자들과 결탁하지 않으셨으나, 이 땅의 교회는 악한 자들과 결탁합니다. 그래서 예수님은 정치적이시고, 교회는 반(反)정치적입니다.

예수님의 제자들도 정치적 탄압을 받았습니다. 오늘날 교인들은 정치적 탄압을 받지 않습니다. 예수님의 제자들을 정의를 이야기했습니다. 그러나 교회는 정의를 말하지 않습니다. 예수님과 제자들을 정의에 관심이 많았지만, 교회와 교인들은 정의에 관심이 없습니다.

15. 다말과 민주주의

다말은 유다의 큰 며느리였는데, 그 남편이 여호와께 벌을 받아 죽게 되었습니다. 형사취수제도로 인하여 그 동생 오난이 그 의무를 다해야 했으나, 땅에 설정하는 일로 인해 그도 하나님께 죽임을 당합니다. 그런데 막내아들 셀라는 어렸고 유다는 이 아들도 죽을까 염려되어 며느리를 수절하라 명하고 친정으로 보냅니다. 셀라가 커도 유다가 그 아들을 주지 않자, 다말은 그 시아버지 유다의 아이를 가지기로 작정합니다.

창녀로 가장하여 시아버지를 유혹하고 결국 그 아이를 가집니다. 베레스와 세라입니다. 이 잉태로 인하여 다말은 죽음의 위기에 처합니다. 죽음을 무릅쓰고 이 일을 감행했던 것입니다. 당시 다말이 취할 수 있었던 길은 무엇이었을까요? 기다리는 것, 다른 남자에게 가는 것, 기다려도 유다가 셀라를 주진 않았을 것이고, 다른 남자에게 가면 간음한 것이 되어 죽임을 당했을 것입니다. 그래서 그녀는 과감하게, 이 모든 일의 주도권을 쥐고 있는 유다의 아이를 갖기로 작정하고 일을 성취합니다. 자식 없이 남편 없이 과부로 죽기보다는, 그는 자신에게 주어진 천부적인 권리를 얻어 대를 이을 생각으로, 그 시아버지의 아이를 가집니다. 이 일로 유다는 그 며느리 다말을 자기보다 옳다고 인정합니다. 그러나 다시는 그녀를 가까이 하지는 않았습니다.

민주주의는 왕 제도를 이겨내고 자신들의 천부적 권리, 즉 생명과 재산에 관한 천부적인 권리를 획득해냈습니다. 불의한 세상은 우리가 기다려준다고 옳은 방향으로 가지 않습니다. 스스로 의로운 방법을 찾아 의로운 일을 만들어내야 합니다. 지금 가난한 사람들은, 주택도 없이, 신용불량으로 시달리면서 이 땅에서 고통스럽게 살아가고 있습니다. 하나님께서는 모든 사람에게 천부적 권리, 즉 사람답게 먹고 마시고 입고 잘 수 있는 권리를 주셨습니다. 그러나 불의한 자들이 이 권리를 박탈하고 있습니다. 스스로 이 권리를 쟁취해야 합니다. 아리랑당은 이 일을 도와야 합니다.

왕권신수설을 외치는 자들 앞에서 민주제를 외치고 그것을 쟁취해낸 분들에게 감사를 표합니다. 군부와 싸워 민주화를 달성한 분들에게 감사를 표합니다. 이 과정에 많은 분들의 피가 있었습니다. 그런데 여전히 이 땅은 아직도 제대로 된 민주주의가 없습니다. 경제의 민주화 없인, 정치적 민주화도 없습니다. 이젠 교육도 가진 자들 위주로 바뀌어가고 있습니다. 없는 자의 자녀들이 공부할 수 있도록 돕는 것은 하지 않으면서 가진 자들을 위한 제도는 과감히 만들어가고 있습니다. 삼불제도도 곧 폐지될 것입니다. 이 일을 주도하는 자 중 핵심 인물은 기독교인이라고 합니다. 대통령도 기독교인이라고 합니다. 그러나 이들이 예수님과 전혀 상관없음을 잘 알아야 합니다. 그들의 행위에서 예수님의 희생의 모습, 정의의 모습이 나타나지 않기 때문입니다. 가난한 자들의 다른 세금을 없애기 전에 먼저 부자들의 종부세부터 없앱니다. 이 나라는 이렇게 가면 희망이 없습니다. 다말에게 희망이 사라진 것과 마찬가지입니다. 그러나 다말은 그 인생을 스스로 개척했고, 그 천부적 권리를 지혜롭게 그러나 목숨을 걸고 찾아냈습니다.

아리랑당 창추위는 다말을 본받아야 합니다. 다말은 이 일로 성경에 기록되었고, 다윗의 조상, 예수 그리스도의 조상이 되는 쾌거를 이루었습니다.

때로 어떤 방법은 사회적 물의를 일으킬 수도 있습니다. 다말의 행동은 요즘 관점에서 보아도 파격적입니다. 그러나 이것보다 더 중요한 것은 천부적 권리입니다. 얌전하고, 기존 질서에 부합한 방식만이 아니라, 때로는 보다 파격적이고, 전격적인 방법을 동원해서라도 더 중요한 가치가 지켜져야 합니다.

16. 금융 위기와 요셉의 전략

이집트에 대풍 7년, 대흉 7년이 차례로 임합니다. 이를 하나님께서는 바로에게 꿈으로 알려주셨고 요셉은 이 꿈을 해석하며 그 대안을 제시하게 됨으로써 애굽의 총리가 됩니다. 이 과정을 자세히 보면 여러 가지 특이한 사항과 오늘날에 적용할 수 있는 점들을 발견하게 됩니다. 바로는 그 꿈을 두 번에 걸쳐 다른 형태로 꾸게 됩니다. 이를 요셉은 그 일의 엄중함을 알려주시는 하나님의 뜻으로 해석합니다. 그리고 그 일을 대비하라 시는 하나님의 뜻으로 이해합니다. 우리에게 어떤 일이 닥치기 전에 우리는 보통 그 경고를 받게 됩니다. 그리고 그 경고를 받은 때에 우리는 크게 주의하고 대비해야 합니다. 그러면 그 위기는 오히려 큰 기회가 됩니다. 그러나 대비하지 못하면 큰 위기로 빠져들게 됩니다. 요셉은 이 대풍 7년의 시기에 매년 5분의 1을 거두어 각 성읍에 저장하게 만듭니다. 매년 풍년이 드는데 이를 저장하는 일은 번거로워 보일 것입니다. 그래서 일반인들은 저장하지 않고 흥청망청 사용했을 것입니다. 술도 만들어 먹고, 잘 관리하지도 않아 버리기도 했을 것입니다. 풍년이 계속 되니 7년째 가서는 더욱 그렇게 되었을 것입니다. 그런데 흉년은 사람들이 이렇게 방심할 때 찾아왔습니다.

지금 경제 위기는 지난 몇 년 간의 유동성 확장의 극대점에서 찾아왔습니다. 각국의 부동산 값은 폭등했습니다. 이를 통해 각국의 은행들은 대출을 남발했고, 유동성은 더욱더 확대되었습니다. 돈은 넘쳐났습니다. 국제 IB은행들은 이제 이를 바탕으로 한 파생 상품들을 만들어냈고, 이 규모가 얼마인지 아직도 통계가 잡히지 않습니다. 이로 인해 더욱더 유동성이 확대되었습니다. 그리고 각국은 이런 상품을 아예 규제하지도 않고 사람들의 탐욕에 맡겨두었습니다. 한국의 은행들은 예대비율이 140%에 이릅니다. 예금보다 더 많은 돈을 대출해주었습니다.

이제 흉년이 오기 시작했습니다. 어느 순간에 이르자, 집을 대출로 산 사람들이 더 이상 그 이자를 갚을 수 없게 되었습니다. 그간 집값이 너무 올랐는데도, 즉 자신들의 소득으로 갚을 수 없는 상황이 되었는데도 거의 100%에 가깝게 대출해주는 프로그램을 이용해 이자만 갚다가 이런 일이 벌어지게 되자, 이 현상이 세계적으로 파급되게 됩니다. 여기에 투자한 은행들이 무너지게 되고, 다시 개인들의 파산이 늘어나고, 소비가 줄고, 기업들은 매출이 줄게 되고, 기업 대출도 문제가 되고, 카드 연체 등 연쇄적 고리를 통해 세계는 위기에 빠져들었습니다.

요셉은 이 풍년과 흉년, 그리고 사람들의 대처 방식을 예측하고 사회 체제를 변화시키는 기회로 삼습니다. 처음엔 돈을 몰수이 거두어들입니다. 그래서 이집트와 가나안에 돈이 마릅니다. 다음엔 가축들을 몰수이 거두어들입니다. 세 번째로 백성들의 몸과 토지를 거두어들입니다. 이를 통해 이집트 바로의 재정은 확대되었고, 백성들의 몸의 주인이 되어 왕국 체제를 보다 견실하게 갖추게 되고, 토지를 국유화해 항구적 안정 체제의 기틀을 다지게 됩니다.

그간 이집트는 각 개인이 부와 토지를 가지고 있었기에 중앙 집중적 정치 체제를 갖기에 힘들었는데, 이 사건 이후 완전한 중앙 집중체제를 만들었으리라 봅니다. 국가는 부유해지고, 개인들은 평균해졌습니다. 이방 국가의 체제는 이렇게 되어야 합니다. 이스라엘처럼 요단강을 건너가 새로 국가를 건설할 경우엔 토지 분배가 원활하고 희년 제도를 통해서 이 균등 분배를 유지할 수 있지만, 이미 국가가 형성된 곳에서는 이 일을 해내기가 어렵습니다. 세금이나, 토지 몰수로 이 작업을 하면 큰 반발에 부딪히게 됩니다. 따라서 경제적 변동을 이용하는 방법이 가장 좋습니다. 그런데 이 방법도 준비한 자들만 할 수 있습니다. 종부세 방식으로 토지 문제를 해결할 수 없습니다. 경제적 변동을 이용한 토지 국유화, 그리고 재정 확충이 필요합니다.

지금이 그런 때입니다. 그런데 대비가 없이 이 일이 닥쳐서 결국 이 나라가 이런 위기에 빠지게 되었습니다. 지금이라도 정신을 차리고, 주택 값 안정이 아니라, 주택 가격 폭락을 유도하고 도시 중심지 주택 토지 국유화, 은행 국유화, 기업 국유화 작업을 진전시켜야 합니다. 종교가 다양하고, 이해관계가 복잡한 이런 나라에선 경제적으로 국가가 정부로 부를 집중시키는 것이 사회 문제를 푸는 지름길입니다. 역대 정부들은 모두 이 일에 실패했습니다.

북한은 사회주의 방식으로 이 일을 도모했는데, 하나님을 경외하지 않으므로 실패했습니다. 남한은 자본주의 방식으로 나갔는데, 역시 하나님을 경외하지 않으므로 완전히 실패했습니다. 박정희 정부는 빈부 격차를 확대시켰고, 김대중 정부는 이 문제를 전혀 해결하지 못했습니다. 최근 다시 이헌재씨 등이 경제 장관으로 거론되고 있는데, 이들이 지난번 금융 위기 때 오히려 서민들을 거지로 만들어버렸습니다. 노무현 정부는 소수의 땅 부자들을 양산시켰습니다.

아리랑당이 이 정의로운 일을 해내야 합니다. 우리는 철저히 시장을 이용한 자본주의 방식을 이용하여 이 일을 해낼 수 있습니다. 사회주의 방식으로 땅을 폭력적으로, 자본을 폭력적으로 몰수하는 방식이 아니라,

요셉 식으로 시장을 통해 정부가 땅과 자본을 몰수이 거두어들이는 방식을 쓸 수 있습니다. 지금이 그 호기입니다. 그런데 정부는 이런 호기에 또다시, 이 모든 좋은 것들을 부자들에게 몰아주는 방식으로 가고 있습니다. 앞으로 큰 화가 이 땅에 있을 것입니다. 부자들이 아니라, 정부가 가지도록 해야 합니다.

17. 땅 안 사신 느헤미야

주여! 대한민국에 지도자의 복을 주시옵소서. 이 땅에 느헤미야와 같은 지도자들을 주시옵소서. 예수님처럼 참 목자를 주시옵소서. 거짓 목자들, 거짓 지도자들을 다 죽이시옵소서. 우리를 구원하신 예수님 이름으로 기도드립니다. 아멘.

느헤미야는 이스라엘의 권력자들과 부자들의 악행 앞에서, 자신이 총독이 되어 어떻게 행했는가를 자세하게 이야기 해주시면서 그들을 꾸짖습니다. 여기에 보면 자신은 하나님을 경외하므로 성 재건 역사에 힘을 다하고 땅을 사지 않았다고 말씀하십니다. 성이 무너졌을 때는 땅 값도 떨어졌을 것입니다. 그런데 성을 재건하니 다시 땅 값도 올랐을 것입니다. 느헤미야는 이 성 재건을 주도한 사람이니 땅 값이 이렇게 오를 줄 알았습니다. 그러나 그는 하나님을 경외하는 사람이었으므로 그 땅들을 사들이지 않았던 것입니다. 개발 이익을 전혀 챙기지 않았습니다. 오히려 그는 가난한 사람들에게 이자도 받지 않고 빌려주었고, 총독의 월급도 십 이 년 동안 받지 않았고 백성에게서 어떤 양식과 포도주 또는 세금을 취하지 않았습니다.(느5:14-19)

우리로 인해 얼마나 많이 하나님께서 욕먹으시는지 우리는 잘 알아야 합니다. 주님 죄송합니다. 우리로 인하여 당신의 영광이 얼마나 훼손되고 있는지요! 우리를 제물로라도 쓰셔서 당신의 영광을 드러내시옵소서. 지금 정부에 몸담고 있는 고위 공직자들 중에 상당수가 땅을 산 사람들입니다. 최근 쌀 직불금 사태에서도 잘 보입니다.

예수님을 잡아 죽인 자들이 대제사장, 총독이었습니다. 이들은 권력을 쥔 자들이었습니다. 우리는 그래서 착각하면 안 됩니다. 권력이 하나님께로부터 왔다는 것과 그 자들이 불의한 자들임에도 그 권력을 얻을 수 있다는 것. 결국 이 자들은 큰 심판을 받게 되고, 씻을 수 없는 더러운 이름을 세세에 지고 있습니다. 안나스, 가야바, 빌라도, 헤롯. 하나님 아버지! 이런 불의한 자들을 치소서. 이 땅에서 도말하시고 그들의 자손들이 빌어먹게 하소서. 우리를 위해 십자가에서 돌아가시고 사흘 만에 부활하신 예수 그리스도 이름으로 기도드립니다. 아멘

18. 왕이신 예수님께서 십자가에 달리신 이유

왜 왕이신 예수님께서 이 땅 곧 자기 땅에 오셔서 십자가에 달리셨을까요? 당연히 메시아 그리스도로서 이 땅에 오셨다면 세상을 힘으로 정복하시고 그 위용을 드러내셔야 하지 않으셨을까요?

예수님의 이 모습으로 인해 여러 신학이 생겨났고, 이는 아리랑당의 정치 즉 기독 정치에도 영향을 미치고 있으며 당시 유대인들도 혼란을 겪었습니다. 따라서 이 부분을 정확히 정리하는 것이 우리의 믿음이나 이 세상에서의 우리의 정치적 행보에도 길을 제시한다고 볼 수 있기

때문에 이 부분을 깊이 묵상해보는 것이 큰 도움이 됩니다.

1) 예수님은 십자가상에서도 여전히 왕이셨다.

부모가 자식의 잘못으로 인해 또는 그 악한 자녀들로 인해 두들겨 맞는다 하여도 그 부모가 그 자식의 부모가 아닌 것이 아닙니다. 그 부모는 자식에게 맞으면서, 그 자식에게 부모의 길, 부모의 사랑을 가르쳐주고 있을 뿐입니다. 그리고 그 자식이 반성하고 회개하고 돌이키길 바라면서 묵묵히 맞아주고 있을 뿐입니다. 마찬가지로 예수님께서는 왕이셨지만, 자신들의 종에게 맞으시면서도 그 종들을, 그 피조물들을 사랑하시는 본을 보여주셨던 것뿐입니다. 열 두 영 더 되는 천군을 불러들여 로마 군대와 바리새인들을 박살내실 수 있으셨지만, 오직 예수님께서는 하나님의 말씀 즉 성경을 이루시기 위해 왕이셨지만 그 십자가 사역을 다 치르신 것입니다. 왕이 아니셨던 것이 아니라, 왕으로서 십자가 사역을 치르셨다는 것을 잘 알아야 합니다. 예수님의 십자가 사역 자체가 왕의 행위였습니다. 비정치적 행위가 아니라 철저히 정치적 행위이셨던 것입니다. 예수님은 다시 목숨을 얻기 위하여 목숨을 버리셨는데 이를 빼앗는 자가 있는 것이 아니라 스스로 버린다고 말씀하셨습니다. 예수님은 버릴 권세도 있고, 다시 얻을 권세도 있으니 이 계명은 하나님께 받았다고 말씀하십니다.(요10:17-18)

2) 어떤 말씀을 이루시기 위해 십자가에 달리셨나.

아담의 범죄 이후 이 죄에 대한 속죄제가 필요했습니다. 죄는 하나님과 사람 사이를 갈라놓습니다. 그 관계를 다시 연결하려면 거룩하신 하나님 앞에 희생 제물이 필요했습니다. 그래서 아담에게 가죽옷을 지어 입히시므로 첫 번째 희생을 받으셨습니다. 아벨은 믿음으로 이 희생의 제사를 계속 드렸습니다. 그러나 이 제사는 완전한 제사가 될 수 없었습니다. 제물 자체가 불완전했기 때문입니다. 모세를 통해 주신 율법에 명한 제사도 마찬가지였습니다. 하나님께선 아브라함에게 이삭을 제물로 바치라 명하셨습니다. 그리고 아브라함은 순종합니다. 예수님은 왕이십니다. 창조주 하나님이십니다. 이 세상에 사람 즉 하나님의 형상대로 지음 받은 사람과 하나님 사이의 간극을 영구히 해소할 제물은 오직 한 분 즉 하나님 자신 밖에 없으셨습니다.

사탄은 타락했고, 이 사탄으로 인해 인류가 배신의 길을 걷게 되었습니다. 이 배신자들, 사랑을 저버린 자들을 다시 돌아오고 신실한 삶으로 바꾸는 길은 모범과 제사가 필요했습니다. 그래서 모세가 뱀을 든 것같이 예수님께서는 십자가에 달리심으로써 그 사랑과 희생을 보이셨습니다. 예수님께서 십자가를 지기 얼마 전 제자들에게 내가 너희를 사랑한 것같이 너희도 사랑하라 하신 말씀은 바로 이런 세계를 다시 창조하시기 위함이셨습니다. 예수님은 사랑의 왕이십니다. 그리고 왕의 사랑으로 십자가를 지셨습니다.

3) 그러면 끝까지 십자가인가

예수님은 요한계시록에서 결국 사탄과 이 세상의 타락한 왕들을 처단하시는 일을 하실 것이라고 예언되어 있습니다. 십자가 사역과 사랑은 한 번이십니다. 이제는 예수님께서 그 권력으로, 즉 십자가에 죽기까지 순종하심으로 받으신 권력으로 이 세상을 심판하실 것입니다. 예수님의 십자가는 바로 이 폭력적 권력을 얻기 위한 준비 단계입니다. 사랑의 예수님께서 이젠 심판의 폭력의 예수님으로 다시 오실 것입니다.

4) 그럼 정치는 무슨 상관인가
 정치는 예수님의 십자가를 배워야 합니다. 정치는 사랑이며, 희생입니다. 그러나 결국 정치도 폭력을 행사해야 합니다. 악한 자들을 처단할 수 있어야 합니다.

5) 유대인들의 오해
 유대인들은 메시아가 오시자마자 폭력으로 임하시리라 착각했습니다. 그래서 로마를 정복하지 않으시는 모습에 실망했고, 그래서 예수님을 십자가로 내몰고, 민중 반란 주도자 바라바를 대신 살렸습니다. 이 땅에 첫 번째로 오신 예수님은 희생의 왕, 사랑의 왕의 모습이 되심을 유대인들은 알지 못했던 것입니다. 또 모든 인류의 죄악을 짊어지는 일을 먼저 하셔야 하는 십자가를 지실 예수님을 이해하지 못했습니다.
 자기 자신들의 민족을 위기에서 구할 분으로만 착각했습니다. 유대인들의 위기는 로마가 침략했기 때문이 아니라, 그들의 죄악 때문이었음을 이들은 이해하지 못했습니다. 그래서 세례 요한은 먼저 회개하라고 외치셨고 예수님께서도 그렇게 하셨는데 유대인들은 그 이유를 잘 몰랐습니다. 그리고 지금도 그렇습니다. 그들을 영원히 그 죄에서 구원할 희생의 제물, 하나님이 친히 십자가에 달리실 그 제물을 알지 못했습니다. 이사야서를 읽으면서도 그들의 죄악을 인해 채찍에 맞는 예수님을 알지 못했습니다. 아직도 알지 못하고 있습니다. 또 유대인들은 예수님, 즉 메시아께서 유대인의 왕만 되신다고 착각했습니다. 분명히 성경 여러 군데 나오는 데도 불구하고, 그들은 예수님께서 만왕의 왕이심을 알지 못했습니다.

6) 오늘날 신학자들과 목회자들 그리고 교인들의 오해

예수님 당시의 바리새인들과 유대인들이 예수님을 오해했고, 메시아를 이해하지 못했듯이 오늘날도 여전히 신학자들과 목회자들 그리고 많은 교인들이 예수님을 이해하지 못하고 있습니다. 이제 다시는 예수님의 십자가 사역은 없습니다. 이젠 만주의 주가 되셨고, 무서운 심판만이 기다리고 있습니다. 사도들은 이를 전했습니다. 그래서 사도들은 전달자이지 정치가가 아닙니다. 그러면 오늘날의 목회자들도 전달자가 되어야 하는데, 이들은 바리새인들처럼 되어버렸습니다. 세상의 타락한 정치가들과 야합하였습니다. 마치 바리새인들이 로마와 야합하듯이.

두 번째 오실 예수님은 사랑의 예수님이 아니십니다. 폭력의 예수님이시며, 심판의 예수님이십니다. 이 불의한 세계, 불의한 자들, 불의한 부자들, 불의한 권력자들, 불의한 종교 지도자들을 처단하실 폭력의 예수님으로 오실 것임을 모르고 있습니다. 그래서 그들은 불의를 행하고 불의 자들과 어울리는 것을 두려워하지 않습니다. 사도들은 그렇지 않았습니다. 불의 자들 앞에서 목숨을 내어놓고 정의를 외쳤습니다. 예수님만이 구주이심을 전파했습니다. 그러나 대한민국의 대표 목사라고 하는 자들은 당당한 불교 앞에서도 잠잠합니다.

7) 우리는 옳은 것을 옳다고 외쳐야 합니다.

인간이 만든 종교가 거짓이기 때문에 거짓이라고 말해야 하고, 불의한 정책을 만드는 자들이 가증스럽기 때문에 그렇다고 말해야 하고, 가증한 부자들과 권력자들의 아가리에서 가난한 사람들을 구해내야 하기 때문에 진리로 싸워야 합니다. 이것이 우리의 정치입니다. 만왕의 왕이신 예수님처럼 우리도 십자가도 지고, 정치권력도 행사해야 합니다. 나보다 더 큰 일도 하리라고 하셨으니 우리는 이 일을 해내야 합니다. 무엇이든지 원하는 대로 구하라고 하셨으니, 이 세상을 하나님의 정의가 가득한 곳, 하나님의 나라로 바꾸는 일을 구하고 도전해야 합니다. 그것이 우리의 정치입니다.

19. 헤롯의 누룩을 주의하라

우리는 바리새인들의 누룩을 주의하라 하신 예수님의 말씀을 잘 알고 있습니다. 그런데 예수님께서 헤롯의 누룩도 주의하라고 하셨습니다.(막 8:15)

헤롯은 예수님 당시의 유대 분봉왕 이었습니다. 오늘날의 집권 정치인입니다. 세례 요한을 죽인 자이기도 합니다. 악한 권력자들은 끊임없이 이 세상에 자신들의 설교를 내놓습니다. 그 아류들도 마찬가지입니다. 정치 지도자들이 내어놓은 이런 그들의 설교, 교훈을 주의해야 합니다. 그들은 끊임없이 자기중심적인, 이기적이며, 악한 설교를 계속합니다. 모든 권세는 하나님께로부터 왔다고 말씀하셨습니다. 그래서 복종해야 한다고 하셨습니다. 오직 주님 안에서 복종할 뿐입니다.

헤롯의 권세는 누구로부터 왔을까요? 그리고 왜 예수님은 헤롯의 누룩을 주의하라 하셨을까요? 예수님은 헤롯을 여우라고 표현하신 적이 있습니다. 오늘날도 많은 여우들이 양들을 잡아먹고 있습니다. 주가가 곧 3천 간다는 말을 믿고 주식을 샀다가 사람들이 큰 손실을 입었습니다. 우리도 헤롯과 같은 정치인이 되지 않기 위해 주의해야 합니다. 다윗의 길로 가야 합니다. 공의 정치, 하나님 경외 정치가 우리의 길입니다.

20. 예수님이 세상의 미움을 받으신 이유

예수님께서 당시 사람들에게 미움을 받으셨는데, 그 이유에 대해 말씀하십니다. 동생들과의 대화중에 예수님께선 이렇게 말씀하십니다.

"세상이 너희를 미워하지 못하되 나를 미워하나니 이는 내가 세상의 행사를 악하다 증거함이라"(요7:7)

예수님께서 비판하신 사람들은 주로 정치 경제 사법 종교 부문의 지도자들이었습니다. 산헤드린 공회원들을 비판하셨으니 이들은 당시 입법 사법 기관이었음을 볼 때 오늘날 정치인들과 대법원 헌재 등의 고위 재판관을 비판하신 것에 해당합니다. 또 예수님은 헤롯도 비판하셨는데, 헤롯은 분봉왕 이었습니다. 오늘날의 대통령에 해당됩니다.

성전을 장악한 자들은 유대의 주요 사업도 장악하고 있었는데, 이들은 오늘날로 치면 기업 총수들에 해당합니다. 성전을 강도의 소굴로 만든 자들입니다.

우리가 세상의 행사를 악하다 하여 세상의 미움을 받고 있는지요? 교회가 세상의 미움을 받고 있는지요? 교회가 이런 권력자들과 부자들을 비판하고 있는지요?

21. 교회의 존립 근거와 목적

교회의 존립 목적과 근거가 무엇인가요? 예수님께서는 이 땅에서 서로 사랑하지 않고 사는 죄인들을 위하여 사랑이 무엇인지 보여주셨고, 이를 통해 제자들에게 자신이 제자들을 사랑한 것처럼 서로 사랑하라고 말씀 하셨습니다. 사랑이 바로 교회의 존립 목적이며, 근거입니다. 그러나 지금 교회의 현실이 그렇지 못하다는 데서 교회는 부정될 수밖에 없습니다. 하나님이 세상을 이처럼 사랑하사 독생자를 주셨는데, 세상을 사랑하는 것도, 교회 내에서의 사랑도 없습니다. 각자 천국에 가기 위한 표를 얻기 위한 곳이고, 목사들은 또다시 면죄부를 팔고 있습니다. 교회 생활에 열심인 자들에겐 천국에 들어갈 면죄부가 주어지고 있습니다. 이를 교묘히 이용하고 있는 목사들이 많습니다.

마틴 루터는 야고보서를 지푸라기 복음이라고 했다 합니다. 이신칭의를 강조한 그가 야고보서에서 이행칭의를 말씀하는 것이 싫었던 모양입니다.

스스로가 야고보다 더 우위에 서고자 했던 루터의 교만함이 엿보입니다. 한국 교회는 이런 루터의 잘못된 신앙관에 서 있습니다. 미국 교회에서 전달받은 이런 교훈에 기반 하여 결국 사랑이 사라진 이런 형태의 교회가 되어버렸습니다. 우리가 성경을 열심히 보아야 하는 이유가 여기에 있습니다. 목사들의 설교만 듣고 신앙 생활하다 보면 결국 그들의 노예가 되어버립니다.

우리는 하나님의 종이지, 목사들의 노예가 아닙니다. 면죄부를 팔던 카톨릭에 대항하여 일어났던 루터의 후예들이 이제 십일조 교회 봉사

등 또 다른 면죄부를 팔면서 교인들을 노예화하면서 교인들을 예수님을 닮은 사람으로 변화시킬 수 없는 것은 너무도 당연한 일입니다. 이제 다시 하나님 사랑, 세상 사랑과 교인 간의 사랑으로 교회의 본질이 바뀌어져야 합니다.

예수님께서 세상을 위해 십자가를 지셨고, 거기에서 돌아가셨듯이 교회도 세상을 위해 십자가를 져야 합니다. 교회 건물 위의 십자가를 교회는 전혀 이해하지도, 또 그 뜻을 실천하지도 않고 있습니다. 오직 그들 자신만을 위한 곳으로, 종교적 카타르시스의 현장으로, 목회자를 위한 곳으로, 부자들의 대변인으로 변질시켜가고 있습니다. 이런 교회는 결국 라오디게아 교회처럼 될 수밖에 없습니다.

22. 하늘 왕, 땅 왕 : 느부갓네살의 정치 신학과 로마

예수님이 유대인의 왕이라 하셨습니다. 이와 관련하여 많은 신학적 논쟁이 있고, 이는 정치 영역에 대단한 영향을 끼치고 있습니다. 그런데 느부갓네살이 가진 정치 신학을 보면 그가 오늘 우리 시대보다 훨씬 더 탁월한 정치 신학을 가지게 되었음을 알 수 있습니다. 그의 정치 신학을 통해 우리는 마태복음과 요한복음 등에서 나타나는 유대인의 왕 예수님의 말씀, 내 나라는 이 땅에 속하지 아니하였다고 말씀하시는 것에 관해서도 크게 배울 수 있습니다.

느부갓네살은 처음부터 이런 신학을 가지지는 않았습니다. 그는 땅의 왕으로서 극히 교만해졌습니다. 이런 그에게 하나님께서는 이상을 보여주셨고, 다니엘은 이를 해석하셨습니다.

그럼에도 불구하고 느부갓네살은 여전히 어리석게도 또다시 죄를 저지릅니다. 신상을 만들고 거기에 절하게 하는데 이 때 다니엘의 세 친구는 이를 거부하고 불 속에 뛰어듭니다. 이 때 다시 느부갓네살은 하나님을 찬양하게 됩니다. 그러나 그는 또다시 교만해지고 꿈을 꾸게 되며, 하나님의 징계를 받게 됩니다.

　그리고서 그는 이제야 온전한 정치 신학을 알게 됩니다. 그리고 이를 선포합니다. 다니엘서 4장 37절에서 느부갓네살은 '하늘의 왕'이신 하나님을 찬양한다고 표명하고 있습니다. 바로 이 '하늘의 왕'의 권세는 영원한 권세이며, 그 나라는 대대에 이르리로다고 이야기하고 있습니다.(단4:34) 즉 그는 하나님의 나라가 영원한데, 자신의 나라(단:4:36)에서 그를 다시 세우시는 분이 하나님이심을 선포하고 있습니다.

　예수님께서 말씀하신 내 나라가 여기에 속하지 아니한다고 하실 때 이 나라는 바로 느부갓네살이 말한 '그 나라'임을 알 수 있습니다. 이 '그 나라'는 바로 하나님의 나라이며, 영원한 나라이며, 예수님이 말씀하신 나라이십니다.

　느부갓네살의 두 번째 꿈에서 이 부분이 명확히 정리됩니다. 사람들의 나라를 다스리시며 자기의 뜻대로 그것을 누구에게든지 주시며 지극히 천한 자를 그 위에 세우시는 분이 바로 하나님이시다는 말씀이 다니엘서 4장 17절에 분명히 나타납니다. 사람의 나라를 다스리시는 하나님의 나라를 예수님은 말씀하고 계신 것입니다. 사람의 나라가 하나님의 나라의 통치 아래 놓여 있음을 분명히 말씀하십니다. 그런데 이를 분리해서 사람의 나라가 마음대로, 하나님의 통치에서 벗어나 있다고 착각하게 만든 거짓 신학자들의 가르침이 대한민국 교회를 오염시키고 있습니다.

로마는 느부갓네살의 나라와 같은 수준도 되지 못합니다. 느부갓네살의 신상 꿈에서 잘 드러납니다. 느부갓네살은 그 꿈에서 금이었습니다. 로마는 그 한참 뒤에 나오는 그 보다 못한 나라 중 하나입니다.

오늘날의 세계도 마찬가지입니다. 대한민국은 느부갓네살의 나라의 수준이며, 이를 세우기도 하시고 망하게도 하시는 권세는 오직 '그 나라' 즉 '하나님의 나라'에서 주관하십니다. 하나님만이 만왕의 왕이신 이유가 여기에 있습니다. 로마 시대는 독특한 시대가 아닙니다. 그런데 예수님이 몸을 입고 그 시대에 오셨기 때문에 또 독특하기도 합니다.

하지만, 이는 예수님께서 다윗의 후손이신데, 다윗이 예수님을 주라고 부르신 이 난제의 또 다른 모습이기도 합니다. 아리랑당은 바로 이런 느부갓네살의 정치 신학을 토대로 하고 있습니다. 느부갓네살은 이 고백 속에서 왕 노릇하게 됩니다. 아리랑당도 이런 고백 속에서 이 세상 나라에서 왕 노릇하게 될 것입니다. 유대인들은 메시아께서 이 땅에 오셔서 칼로 일어나리라고 착각하고 있습니다. 그래서 그들은 예수님을 십자가로 내몰았습니다.

하나님의 나라는, 느부갓네살 이전에도, 느부갓네살 시대에도, 로마 시대에도, 지금도 동일하십니다. 오직 하나님의 나라를 인정하는 나라만이, 인정하는 왕만이 그 자리를 유지할 수 있다는 원칙은 계속되고 있습니다. 이 느부갓네살의 고백 위에 서 있는 나라와 권력만이 지속될 수 있습니다. 이제 지상의 나라들이 하나 둘씩 모두 이런 나라들로 바뀌어 가고 있습니다. 그러나 이것이 하나님의 나라와 동일한 것은 아닙니다. 하나님의 나라의 지배권을 선포하는 지상 나라들일 뿐입니다. 이는 교황의 지배권이나 목사나 기독교 연합 단체의 지배권을 선포하는 것이 아니라 하나님의 지배권을 선포하는 일입니다. 아리랑당은 바로 이런 지상 나라, 즉 '하나님의 나라'의 주권을 인정하는 '지상 나라'를 만들어가고자 하는 것입니다. 이 나라는 공의를 행함으로 죄를 속하고 가난한 자를 긍휼히 여김으로 죄악을 속하여 혹시 장구할 수 있는 나라입니다.(단 4:27) 벨사살 왕의 망하는 길로 가는 많은 권력과 왕들이 있었고, 지금도 있습니다.

 "이 열왕의 때에 하늘의 하나님이 한 나라를 세우시리니 이것은 영원히 망하지도 아니할 것이요 그 국권이 다른 백성에게로 돌아가지도 아니할 것이요 도리어 이 모든 나라를 쳐서 멸하고 영원히 설 것이라"(단2:44) 예수님은 이 땅에 오셔서 그 나라를 세우셨습니다. 느부갓네살 왕이 말한 '그 나라'가 이 땅에도 임하신 것입니다. 그리고 확장되어가고 있습니다. 아리랑당은 바로 '그의 나라'를 구하는 이 땅의 나라를 만들어가고자 합니다.

23. 성령 충만과 정의 추구

"Here is my servant, whom I uphold, my chosen one in whom I delight; I will put my Spirit on him and he will bring justice to the nations.(ISAIAH 42:1)

 위 말씀은 예수님에 대한 예언입니다. 그리고 예수님의 피로 거듭난 우리들에 대한 예언이기도 합니다. 하나님이 기뻐하시는 종, 예수 그리스도께 하나님께서는 성령을 부어주셨습니다. 그리고 그는 온 세계에 정의를 실현해가십니다. 성령 충만한 사람은 반드시 정의 실현을 위해 노력했습니다. 성령 충만하지 않은 사람들은 이 일에 관심이 없었습니다.

You have seen many things, but have paid no attention; your ears are open, but you hear nothing.(ISAIAH 42:20)

결국 우리가 오늘날 목도하는 많은 불의한 일들에 대해, 그리고 이로 인해 고통을 겪는 사람들을 향해 관심을 가지지 않고, 듣지도 못하는 것은 성령 충만하지 않기 때문입니다. 진정한 부모는 고통 받는 자식의 외침에 귀를 기울입니다. 하나님 아버지는 이 땅의 가난하고 억눌린 사람들의 부르짖음을 보시고 들으십니다. 성령님도 당연히 그러하십니다. 그런데 성령 충만하다고 하는 사람들이 이 일에 그렇지 않는 것은 바로 그들이 성령 충만하지 않다는 증거입니다. 예수님이 말씀하신 선한 사마리아인의 비유를 기억해야 합니다. 오늘날 많은 기독인들이 성령 충만하지 않습니다. 아리랑당이 성령 충만하다면 정의를 실현하는 데, 불의와 맞서 싸우는 데 열심을 낼 것입니다.

24. 교회가 사회문제 해결에 적극 나서는 것이 복음주의

오랜 신앙 생활을 한 보수 기독교인들과 말씀을 나누다보면, 사회 갈등이나 빈부 격차 문제 해결에 교회가 나서야 한다고 말하면, 교회는 복음 전하는 곳이지 그런 곳이 아니다고 말한다. 심지어 교회 안에서조차 같은 교인들 사이에서라도, 경제적으로 어려움을 겪는 교인들을 도와야 한다고 말하면 교회는 복음 전파에 힘써야 한다고 말한다.

복음을 잘못 이해하고 있어서다. 예수님은 임금과 구주이심을 증언하는 증인이 되는 것이 복음을 전하는 것이며, 십자가에서 우리 죄를 대신해서 돌아가시고, 부활하셔서 우리에게 성령 충만함을 주시는 분이심을 고백하고, 우리는 하나님을 사랑하지 않는 죄와 이웃 특히 같은 교인들을 사랑하지 않는 죄를 회개하고 돌이켜 하나님을 사랑하고 이웃을 사랑하는 성령 충만한 상태로 살아가는 것을 전하는 것이 복음의 핵심이다. 복된 소식을 우리는 복음이라는 단어로 번역했다.

좋은 뉴스다. 그러면 왜 좋은 뉴스가 전해져야 할까! 나쁜 상황 가운데 처해져있는 사람들, 희망이 없는 절망 가운데 처해져 있는 사람들에게 좋은 뉴스가 필요하다. 이제 그들이 구출된다는 것.

이스라엘은 그들의 죄로 인해 이방 나라의 침략을 받았고, 가난한 사람들은 부자들에게 착취를 받았고, 병든 자들은 병으로 고통 받고, 귀신들에게 눌린 사람들에게 좋은 소식이란 바로 그런 어려움들로부터의 해방이었다.

이스라엘이 이집트에서 바로의 압제 가운데 있을 때 모세가 나타나 좋은 소식을 전해주었고 그들은 거기서 탈출하게 된다.

기독교와 기독인들은 이 땅의 가슴 아픈 일들을 해결하는 데 앞장 서야 한다. 하나님께서, 예수님께서 그 일들에 깊이 염려하시고 해결하시길 원하시기 때문이다.

하나님은 관심을 기울이고 계신데 그를 섬기는 기독교 세계가 여기에 관심이 없다면 이는 실상 하나님의 회가 아니라 사탄의 회라고 할 수도 있다. 의심해보아야 한다.

공산당도 유일 주권을 주장한다. 우리는 주님의 유일 주권을 주장하는 사람들이다. 공산당원은 공산 독재를 위해 투쟁한다. 그들은 모든 공산 사회의 문제들에 관여한다. 우리도 하나님의 주권을 외치고 실현하는 일에 공산당과 공산당원들보다 더욱더 열심을 내야 한다.

우리의 주님이 임금이심을 외치면서 어찌 우리가 비정치적일 수 있는가!

25. 다윗 왕의 왕, 야훼

시편 5편 2절에서 다윗 왕은 하나님을 나의 왕 나의 하나님이라고 호칭하고 있습니다. מֶלֶךְ 이 단어는 명백히 여러 곳에서 인간 왕들을 가리킬 때도 쓰였던 단어입니다.

한 백부장이 예수님을 만나서 자기 수하와 자기와의 관계를 이야기하면서 그 믿음을 보입니다. 군인으로서 예수님과 자신의 상하 관계, 또는 예수님의 온 우주에 대한 주권, 명령권을 정확히 이해하고 있습니다. 그래서 예수님은 이만한 믿음을 이스라엘에서 본 적이 없다고 하십니다. 스스로 왕인 다윗 왕이 왜 구태여 하나님을 자신의 왕으로 표현하면 이러한 상하 관계로 규정하였을까요?

다윗 왕은 사무엘로부터 사울이 왕이 되는 과정, 그리고 이스라엘 백성이 왕을 구한 과정, 하나님께서만 이스라엘의 진정한 왕이심을 알고 있었던 것으로 보입니다.

세상의 많은 왕들이 하나님의 왕 되심을 거부하고 하나님의 왕좌를 빼앗으려 했고, 지금도 계속 되고 있습니다. 세상의 군왕들이 나서며, 주의 기름 부음 받은 자를 대적하고 있습니다. 중국의 공산당이나 북한 정권도 하나님의 정치적 주권을 인정하지 않고 있습니다.

"세상의 군왕들이 나서며 관원들이 서로 꾀하여 여호와와 그의 기름 부음 받은 자를 대적하며 우리가 그들의 맨 것을 끊고 그의 결박을 벗어

버리자 하는도다 하늘에 계신 이가 웃으심이여 주께서 그들을 비웃으시리로다"(시편 2:2-4)

이방 나라들에 대한 언급이 이 시편에서 분명히 이루어집니다.

여호와의 명령으로서 주어집니다. 백부장이 예수님의 명령을 언급한 것을 다시 생각해야 합니다. 여호와의 기름부음 받은 자 예수님의 말씀은 이를 기억하고 있음을 알아야 합니다.

5 그 때에 분을 발하며 진노하사 그들을 놀라게 하여 이르시기를

6 내가 나의 왕을 내 거룩한 산 시온에 세웠다 하시리로다

7 내가 여호와의 명령을 전하노라 여호와께서 내게 이르시되 너는 내 아들이라 오늘 내가 너를 낳았도다

8 내게 구하라 내가 이방 나라를 네 유업으로 주리니 네 소유가 땅 끝까지 이르리로다

9 네가 철장으로 그들을 깨뜨림이여 질그릇 같이 부수리라 하시도다

10 그런즉 군왕들아 너희는 지혜를 얻으며 세상의 재판관들아 너희는 교훈을 받을지어다

11 여호와를 경외함으로 섬기고 떨며 즐거워할지어다

12 그의 아들에게 입맞추라 그렇지 아니하면 진노하심으로 너희가 길에서 망하리니 그의 진노가 급하심이라 여호와께 피하는 모든 사람은 다 복이 있도다(시편 2편)

26. 왕이 될 만한 사람은 아예 없다. 예수님 외에는

인류 역사는 이를 증명한다. 아담의 타락 이후로, 인간 세상에서 왕

노릇할 수 있는 사람은 아예 존재하지 않는다는 것을 증명하고 있다. 오직 여인의 후손, 예수 그리스도만이 진정한 왕의 모습을 보이시고 이 세상을 떠나가셨고, 부활하시어 영원한 왕의 자리에 오르셨다. 그런데 끊임없이 이 세상에선 왕이 되고자 하는 자들이 나타나고 왕의 자리에 올라서, 스스로 왕이 아니었음을 증명하고 사라진다.

각국의 많은 지도자라고 하는 자들이 지도자감이 안됨을 스스로 증명하고 떠나간다. 이 일은 왕 제도에서 대통령제나 민주제로 바뀐 상황에서도 계속 된다.

인간은 타인 위에 군림하고자 한다. 죄악의 한 속성이기 때문이다. 만인의 종이 되어 섬기려하는 사람은 없다. 오직 하나님만이 왕이 되실 수 있는 이유이다. 그리고 성령 충만한 사람만이 예수 그리스도와 함께, 기름 부음 받은 왕 예수와 함께 왕 노릇할 수 있다.

정치를 하려는 사람들은 권력의 이런 속성을 잘 알아야 한다. 이는 단순히 정치에서만 그런 것이 아니라, 교회나 가정, 그리고 사람들이 조금만 모인 곳이라도 이런 악한 권력의 전횡이 이루어진다는 것을 잘 알아야 한다. 주님께서 오셔서 심판하시는 날까지 이런 일은 계속될 것이다. 그것을 증언하는 것이 우리 기독 정당들의 소명이다. 그리고 우리도 끊임없이 이런 악한 권력의 속성에 빠져들 것이다. 성령 충만하면 그렇게 되지 않겠지만 언제나 위험이 도사린다. 내 안의 뱀이 다시 또아리를 틀고 나타날 것이다.

성경을 읽고, 회개하고 자기반성을 하는 사람들도 이렇게 위험한 것이 권력을 가지는 것인데, 하물며 아예 성경도 안보고 회개도 하지 않는 사람들은 얼마나 더 위험하랴! 이것이 독재 국가들에서 나타나는 모습들이다.

27. 왕을 구한 죄: 다윗과 사울, 예수님과 헤롯

예수님의 탄생 소식을 듣게 된 헤롯은 그를 죽이려 합니다. 유대인의 왕으로 나신 이를 죽이려 한 자는 바로 현재 유대인의 왕이었습니다. 사울은 자신이 왕으로 있는데, 기름 부음 받은 다윗을 죽이려 합니다. 두 명의 왕이 있을 수 없습니다. 다윗은 사울을 피합니다. 예수님도 헤롯을 피해 이집트로 가십니다. 그러나 헤롯이 죽자 그의 아들 아켈라오가 다시 유대인의 왕이 됩니다.

유대인의 왕은 원래 하나님이십니다. 그런데 이스라엘이 왕을 구했고 그래서 사울이 초대 왕이 되었습니다. 왕을 구함으로 이스라엘에는 큰 재앙이 임했습니다.(사무엘상 12장) 모든 죄에 왕을 구한 죄를 더했습니다. 다윗은 진정한 왕은 하나님이심을 알았습니다. 그래서 예수님은 다윗의 후손으로 이 땅에 오셨습니다. 그런데 오늘날 많은 이들이 예수님을 왕이 아니라 그저 종교적 구세주로 폄하해버리고 실제 권력의 현장에서 배제해버렸습니다. 이스라엘처럼.

마키아벨리든, 헤겔이든 이런 실수를 범했습니다. 민주제가 발전하게 된 기독 세계에서조자 그리스도의 주권에 대해 명확히 이해하지 못했습니다. 자크 엘룰의 하나님의 정치, 사람의 정치에서도 그래서 모호한 이야기들이 계속 됩니다.

그러나 나중 된 자 먼저 된다고 하셨듯이, 동방의 또 다른 끝인 아시아의 끝자락인 대한민국에서 우리는 그리스도의 통치를 선포하고 있습니다. 북조선에서 김정은이 자신의 통치를 선포할 때, 대한민국에서 국민의 주권을 선포할 때, 우리는 여전히 우리의 주권조차 하나님께로부터 위임

받은 주권임을 겸손하게 아룁니다.

그리스도께서 오심은 자신의 왕 되심을 다시 선포하심이고, 그의 돌아가심도 그의 십자가 위에서 유대인의 왕이라 여러 언어로 적혔습니다. 그는 왕으로 태어나셨고, 왕으로서 사시다가, 왕의 마지막 의무인 백성을 그 죄에서 구원하시기 위해 왕으로서 돌아가시고, 그의 왕되심을 확증하시며 사흘 만에 부활하셨습니다.

　왕은 신이었습니다. 이젠 신께서 자신의 양되심을 확증하신 것입니다. 왕들은 끊임없이 자신이 신임을 입증하고자 했고, 신의 자리를 훔쳤습니다. 그러나 진정한 왕이신 하나님은 자신의 영광을 그 누구와도 나누시지 않으십니다.

28. 선거와 선교

　선거를 통해, 후보들은 정책을 알립니다. 정책에는 그 사회를 향한 후보들의 신학 철학이 담겨 있습니다. 선거 플래카드, 선거 공보, 선거 소책자, 명함, 포스터, 그리고 연설, 방송 출연 등 국민들을 향하여 이러한 신학과 철학을 표명할 수 있는 기회가 주어집니다. 이들을 통해 각 후보는 이러한 신학과 철학을 논합니다. 그리고 선거가 끝난 후 당선된 후보는 다른 어떤 후보들보다 사회적 영향력을 강하게 행사합니다. 그런데 집권하게 된 후보들이 반성경적 정책을 펼쳐 갈 때, 우리 사회는 하나님의 나라와 하나님의 의로부터 더욱더 멀어지게 됩니다. 지금 우리가 목도하고 있는 부패와 혼란이 바로 이런 사람들에 의해 이 땅에 임했습니다. 선거에 나가서 승리하지 못하더라도 최소한 다윗처럼, 골리앗 앞에서 하나님을 위하고 하나님의 나라와 의를 논함으로써 이 세상에 빛과 소금의 역할을 다할 수 있습니다.

하지만 대한민국의 선거 현장에서 이런 일을 목도하기는 쉽지 않습니다. 기독인들이 하나님의 이름을 모시고 선거에 나가는 일이 거의 없기 때문입니다. 저는 선거에서 이렇게 해보았습니다. 뿌린 것에 비해서 참으로 많이 거두었습니다. 이 시간을 통해 하나님은 새로운 길을 열어주셨습니다. 앞으로 이 나라에는 계속해서 많은 선거가 있습니다. 이 선거 기간을 우리는 선교의 기간으로 사용해야 합니다. 듣든지 아니 듣든지 우리는 선거에 나가 큰 소리로 이 민족의 허물을 외쳐야 합니다. 이것이 선지자의 사명입니다.

29. 메시아 그리스도 구원자 그리고 아리랑당

왜 이스라엘은 메시아를 기다렸을까요? 그리고 우리 한국 사람에 왜 이스라엘이 기다린 메시아가 필요할까요? 이스라엘은 끊임없이 외적의 침입의 고통을 당했습니다. 그래서 그 때마다 그들은 구원자를 필요로 했습니다. 그들이 사사였고, 나중엔 왕이었습니다. 이제 로마 치하에서 왕도 다 끊어져버린 상태에서 그들을 해방시켜줄 메시아, 왕, 구원자를 이스라엘은 간절히 기다렸습니다. 그리고 예수님이 유대인의 왕으로 오셨습니다. 그런데 사사들처럼, 다윗 왕처럼 이방 나라들과 싸우면서 그들의 국권을 회복해주지 않았습니다. 그래서 그들은 예수님을 잡아 죽이는 데 적극 찬성했습니다. 이스라엘은 이 세상의 나라를 꿈꿨지만, 하나님은 하나님의 나라를 꿈꾸셨습니다. 아리랑당의 꿈도 하나님 나라이지 이 세상 나라가 아닙니다.

예수님은 이스라엘에 오셔서 수많은 병자를 고쳐주셨습니다. 그런데 로마로부터 해방시켜주지 않으셨습니다. 왜 그러셨을까요? 이 점 때문에 기독인들의 비정치화가 이루어지는데 이는 전혀 오해입니다. 해방시켜주시지 않으신 것이 바로 정치적입니다. 예수님은 비해방의 정치를 하신 것입니다. 이스라엘은 해방될만한 그릇이 되지 못했습니다. 그 그릇은 2천년이 지나야 가능했습니다. 모든 것에는 때가 있습니다. 이스라엘에 많은 문둥병자가 있었지만 오직 이방의 나아만만이 치료를 받았습니다.

이것이 답입니다. 이스라엘은 회개해야 했습니다. 메시아 앞에서 회개해야 했습니다. 그랬다면 그들의 국권도 그 당시에 주어졌을 가능성이 많습니다. 오직 믿음만이 치료를 가주어다 줍니다. 예수님 앞에서 치료받은 사람들은 모두 믿음의 사람들이었습니다. 그런데 이스라엘의 국권이 회복되기 위해선 이스라엘의 집단적 믿음이 필요했습니다. 하지만 이스라엘엔 이것이 없었고, 그래서 그들은 로마 치하에 있을 수밖에 없었습니다. 그들은 주후 70년의 대재앙을 받을 수밖에 없는 잔악한 자들이었는데 그들에게 어찌 주님께서 국권 회복의 복을 내리셨겠습니까?

예수님의 제자들도 국권 회복을 간절히 바랐습니다. 이들의 고민도 그것이었습니다. 사도 바울의 고민도 그것이었습니다. 자신의 나라를 잃은 상태에서 세계 만민의 구원을 위하여 복음을 전해야 하는 아이러니. 그런데 오늘날 기독인들이 이를 오해하고 있습니다. 예수님이 비정치적이라고 생각하고 있습니다. 빌라도가 예수님을 십자가에 못 박을 수 있었던 것은 하나님이 허락하시지 않고는 불가능했다는 사실을 우리는 기억해야 합니다. 메시아는 우리의 회개를 요구합니다. 우리의 믿음, 즉 그가 우리를 죄에서 해방시키실 분이심을 믿는 믿음을 요구합니다.

 메시아는 외적으로부터 구원하는 사람이며, 외적의 고통을 받은 이유인, 그들의 죄악의 길로부터 떠나게 하는 사람입니다. 후자를 이스라엘은 망각했습니다. 오늘날 기독인들도 이 점을 망각하고 있습니다. 아리랑당은 이 점을 기억하고 이 길을 가야 합니다. 아리랑당은 이 땅에서 메시아이신 예수님의 제자가 되어 구원 사역을 펼쳐야 합니다. 전과자로 낙인찍힌 사람들, 가난한 자, 병든 자, 압박당하는 자들을 구해내야 합니다.

30. 선지자 다윗과 아리랑당

 다윗은 왕이셨지만 선지자이시기도 했습니다. 사도행전 2장 30절에서 베드로는 다윗이 선지자이셨다고 말씀하십니다.

22 이스라엘 사람들아 이 말을 들으라 너희도 아는 바와 같이 하나님께서 나사렛 예수로 큰 권능과 기사와 표적을 너희 가운데서 베푸사 너희 앞에서 그를 증언 하셨느니라

23 그가 하나님께서 정하신 뜻과 미리 아신 대로 내준 바 되었거늘 너희가 법 없는 자들의 손을 빌려 못 박아 죽였으나

24 하나님께서 그를 사망의 고통에서 풀어 살리셨으니 이는 그가 사망에 매여 있을 수 없었음이라

25 다윗이 그를 가리켜 이르되 ㄴ)내가 항상 내 앞에 계신 주를 뵈었음이

여 나로 요동하지 않게 하기 위하여 그가 내 우편에 계시도다 시 16:8 이하

26 그러므로 내 마음이 기뻐하였고 내 혀도 즐거워하였으며 육체도 희망에 거하리니

27 이는 내 영혼을 음부에 버리지 아니하시며 주의 거룩한 자로 썩음을 당하지 않게 하실 것임이로다

28 주께서 생명의 길을 내게 보이셨으니 주 앞에서 내게 기쁨이 충만하게 하시리로다 하였으므로

29 형제들아 내가 조상 다윗에 대하여 담대히 말할 수 있노니 다윗이 죽어 장사되어 그 묘가 오늘까지 우리 중에 있도다

30 그는 선지자라 하나님이 이미 맹세하사 그 자손 중에서 한 사람을 그 위에 앉게 하리라 하심을 알고

31 미리 본 고로 그리스도의 부활을 말하되 그가 음부에 버림이 되지 않고 그의 육신이 썩음을 당하지 아니하시리라 하더니

32 이 예수를 하나님이 살리신지라 우리가 다 3)이 일에 증인이로다 또는 그의

33 하나님이 오른손으로 예수를 높이시매 그가 약속하신 성령을 아버지께 받아서 너희가 보고 듣는 이것을 부어 주셨느니라

34 다윗은 하늘에 올라가지 못하였으나 친히 말하여 이르되 ㄷ)주께서 내 주에게 말씀하시기를 시 110:1

35 내가 네 원수로 네 발등상이 되게 하기 까지 너는 내 우편에 앉아 있으라 하셨도다 하였으니

36 그런즉 이스라엘 온 집은 확실히 알지니 너희가 십자가에 못 박은

이 예수를 하나님이 주와 그리스도가 되게 하셨느니라 하니라

37 그들이 이 말을 듣고 마음에 찔려 베드로와 다른 사도들에게 물어 이르되 형제들아 우리가 어찌할꼬 하거늘

38 베드로가 이르되 너희가 회개하여 각각 예수 그리스도의 이름으로 4)세례를 받고 죄 사함을 받으라 그리하면 5)성령의 선물을 받으리니 헬, 또는 침례 또는 성령을 선물로

39 이 약속은 너희와 너희 자녀와 모든 먼 데 사람 곧 주 우리 하나님이 얼마든지 부르시는 자들에게 하신 것이라 하고

40 또 여러 말로 확증하며 권하여 이르되 너희가 이 패역한 세대에서 구원을 받으라 하니

41 그 말을 받은 사람들은 4)세례를 받으매 이 날에 신도의 수가 삼천이나 더하더라 헬, 또는 침례

42 그들이 사도의 가르침을 받아 서로 교제하고 떡을 떼며 오로지 기도하기를 힘쓰니라

복음의 핵심을 설명하는 데 다윗의 예언을 베드로는 사용하고 있습니다. 다윗은 왕이요, 정치가로 우리에게 비추어지고 있습니다. 그러나 다윗은 왕일뿐만 아니라 선지자이십니다. 예수님은 다윗의 후손으로 오셨습니다. 아리랑당의 사역이 정치적이며 선지자적인 것은 필연적입니다. 사람들이 저에게 차라리 목회자를 하는 것이 어떻겠느냐고 말하기도 합니다. 이는 성경을 잘 이해하지 못해서 하는 말이기도 합니다.

아리랑당 창추위가 가야 할 길은 이 세상의 정치와 다릅니다. 가이사의 것은 가이사에게 하나님의 것은 하나님께 드려야 합니다. 아리랑당의 정치는 하나님의 것이어야 합니다. 교인들은 대체로 정의에 관심이 별로

없습니다. 기독교인 정치인들은 선지자 역할에 관심이 없습니다. 그래서 그들은 절에도 가서 합장하는 짓을 합니다. 아리랑당의 당원들은 왕 같은 제사장이요, 선지자들이어야 합니다. 성경에서 하라 하신 대로 가는 길이 우리의 길입니다.

31. 유대인을 꼭 닮은 기독인들

성경의 유대인들을 한마디로 말하자면, 정의에 관심이 없는 자들이라 할 수 있습니다. 이들은 아브라함의 후손이라 착각하고 살았습니다. 오늘날 기독인들의 모습이 이와 같습니다. 이들은 정의에 관심이 없습니다. 그저 종교적 활동에 관심이 많을 뿐입니다. 그들이 구원받은 이유를 망각했습니다.(디도서2:14) 마치 아브라함의 후손을 통해 만민이 복을 얻게 될 것을 망각하고 악한 길로 간 이스라엘과 마찬가지입니다.(사도행전3:24-26)

세례 요한과 예수님과 베드로의 복음의 서두는 "회개하라"였습니다. 악한 길에서 떠나라는 말씀입니다. 정의롭지 못한 길, 불의한 길에서 떠나라는 말씀입니다. 복음은 이렇게 정의로부터 출발합니다.

어떤 젊은 목회자는 제가 구약을 많이 인용한다고 말하면서 신약을 인용해야 한다고 말합니다. 제가 정의를 이야기하기 때문에 그렇습니다. 참으로 놀라운 일입니다. 신약이야말로 더욱더 정의를 논한다는 것을 이들은 보아도 보지 못하고 있습니다. 그리고 신약에서 얼마나 많이 구약이 인용되는지를 이들은 보지 못하고 있습니다. 소경이 소경을 인도하는 한국 교회의 현실이 두렵습니다.

구약이 없이 신약이 존재할 수 없고, 신약이 없이 구약은 빛나기 힘듭니다. 구약을 통해 신약을 더 잘 이해할 수 있고, 신약을 통해 구약을 정리할 수 있습니다.

사도행전에서 신약 시대에 구약의 여러 계명 중 4가지 외에는 다른 짐들을 이방인들에게 지우지 말라 하십니다. 우상의 더러운 것과 피와 목매어 죽인 것과 음행입니다. 새 하늘과 새 땅이 창조될 것이고 그 속에서 우리는 영원한 생명을 주님과 함께 누리게 될 것입니다.

32. 내 나라는 세상에 속한 것이 아니니라에 대한 오해

요한복음 18장 36절에서 예수님께서는 자신에게 유대인의 왕이냐고 묻는 빌라도에게 내 나라는 이 세상에 속한 것이 아니며 만일 내 나라가 이 세상에 속한 것이었다면 내 종들이 싸워 나로 유대인들에게 넘기우지 않게 하였으리라고 말씀하십니다. 이 부분의 해석으로 인해 기독교와 현실 정치의 관계가 또 여러 가지로 해석될 수 있습니다.

이 말씀의 의미가 무엇일까요? 예수님이 말씀하신 내 나라는 하나님의 나라를 의미한다고 볼 수 있습니다. 그럼 여기서 말씀하신 이 세상은 어떤 의미일까요? 여기서 말씀하신 내 종들은 누구일까요? 예수님을 빌라도에게 넘긴 유대인들은 또 누구일까요? 참 해석하기 어려운 부분입니다. 그래서 성경은 다시 전반적으로 돌이켜 봐야 이런 부분이 제대로 해석될 수 있습니다. 예수님은 어떤 나라를 세우길 원하셨으며, 이는 이 세상의 나라들과 어떤 연관이 있을까요? 하나님의 정치, 사람의 정치 같은 책에서 그 저자는 이를 분리시키고 있고, 그래서 기독인의 현실 정치 참여에 대해 부정적 결말을 내리고 있습니다.

그런데 여기서 예수님의 말씀이 그런 뜻이었을까요? 예수님은 다른 곳에서도 여러 번 이 세상에 대해 말씀하십니다. 결론적으로 여러 가지 것들을 종합해서 생각해 보건데, 예수님은 이 세상 권력들을 쟁취하는 데 관심이 없으셨다는 것입니다. 그런데 이 세상 권력은 무엇일까요?

우리가 흔히 생각하듯이 정치적 권력을 의미할까요? 아닙니다. 여기에서 우리가 오해했던 것입니다. 빌라도는 의문이 들었습니다. 보통 그 나라의 왕이라면 그 나라 사람들과 대제사장들이 편을 들어 줄 터인데 이들이 예수님을 죽여 달라고 빌라도에게 넘겼기 때문입니다. 즉 독립운동을 한 왕이면 그 나라 사람들과 대제사장들이 편을 들어줄 터인데 오히려 이들이 로마에 그 왕을 넘겼다는 것이 이해가 되지 않았던 것입니다.

우리는 예수님이 말씀하신 이 세상을 자꾸 로마로 보는 경향이 있습니다. 또 자꾸 정치권력으로 보는 경향이 있습니다. 그러나 이는 큰 오해입니다. 우리가 지금까지 그렇게 배웠기 때문입니다. 소경이 우리를 가르쳤습니다. 오히려 여기서 말씀하신 세상은, 유대였고 하나님을 믿는다고 하는 사람들이었고, 성전의 지성소에까지 들어가는 대제사장들 무리였습니다. 오늘날로 말하면 교회와 교인들과 교회 지도자들을 가리켜 세상이라고 하셨던 것입니다. 그런데 오늘날 많은 신학자들과 목회자들이 이 부분을 교회에 대입하기 보다는 정치권력에 대입시키고 있습니다. 자크 엘룰도 그런 사람 중에 하나입니다. 한국의 양심적인 신학자와 목회자 혹은 언론인이라고 하는 사람들도, 일례로 교회개혁실천연대나 뉴스앤조이 같은 곳들도 이런 생각을 가지고 있습니다.

그러나 예수님의 말씀의 뜻은 그렇지 않습니다. 예수님의 나라는 이 세상에 즉 사탄에게 속한 것이 아니라는 것입니다. 세상은 사탄에게 속한 것입니다. 당시 성전을 장악한 무리가, 그리고 그 민족이 세상 나라이며 세상 백성이며, 사탄의 백성이라는 말씀입니다. 출애굽기 19장에 나오는 하나님의 제사장 나라, 거룩한 백성이 되지 못하고 반대로 사탄에게 속한 것이 된 세상이 되었습니다. 하나님이 세상을 이처럼 사랑하사 독생자를 주신 세상인데, 이 세상은 사탄의 밥이 되어 있었습니다.

유대 권력은 이미 사탄에게 속한 나라였습니다. 로마도 그랬습니다. 하나님께서 허락하신 일입니다. 그래서 예수님은 이런 세상 나라, 즉 유대인의 지도자들이나 빌라도 같은 자들, 네로 같은 자들이 권력을 유지하고 있는 나라의 왕이 되는 일에 관심이 없음을 말씀하고 계십니다. 그들의 왕이 되어보았자, 그 나라는 하나님의 나라가 될 가능성이 없기 때문입니다. 그래서 예수님은 새 술은 새 부대에 부은 것입니다. 그리고 끊임없이 유대 종교 지도자들과 갈등을 겪은 것입니다. 유대 왕으로서 유대 종교 지도자들과 갈등을 겪다가 로마 정치가들에게 넘겨진 상태였습니다. 오늘날로 말하면 기독 정치를 하는 사람들이 한기총에 의해 불신앙 정치가들에게 넘겨져 재판 받는 것과 같은 형국입니다.

예수님이 원하시는 권력은 하나님의 말씀을 듣고 지키는 나라의 권력이며 진리의 권력이며, 하나님으로부터 임하는 진정한 나라의 권력입니다. 칼로 일어나서 유대인의 종교 지도자들과 싸워보았자 이런 진리의 나라는 만들어질 수 없습니다. 예수님께서 칼로 일어나지 않은 이유가 여기에 있습니다. 유대의 문제는 진리의 문제였지, 칼의 문제가 아니었습니다. 유대인의 왕으로 오셨지만, 칼로 이 문제가 해결될 수 없다는 것을 아셨습니다. 유대인의 왕을 대적한 자들이 진리를 잘못 가르치고 있었기에 사회 전반이 타락해버렸기 때문입니다.

그럼 지금 우리는 어떤 나라를 만들고자 함인가요? 우리도 마찬가지입니다. 예수님의 나라를 만들고자 함이지, 이 사탄이 장악한, 사탄의 규칙을 따라 움직이는 세상 나라를 얻고자 함이 아닙니다. 세상 권력은 주어질 수도 있고 그렇지 않을 수도 있습니다. 그런데 여기에서 주의할 것은 이 세상 나라가 한국, 미국, 일본 같은 나라를 의미하는 것이 아니다는 점이며, 대통령이 된다든지 하는 것들을 의미하는 것이 아니라는 점입니다. 위에서 이에 대해선 설명했습니다.

예수님은 포괄적 혁명을 일으키셨다고 보아야 합니다. 만왕의 왕이 되시고, 만주의 주가 되시는 혁명을 일으키셨습니다. 이 혁명은 칼로 이루어질 수 없고, 오직 진리와 희생으로만 가능했습니다. 그의 나라는 섬기는 나라입니다. 이 세상 나라와 근본이 다릅니다. 그러면 이 세상 나라는 어떻게 되어야 하는지요? 우리는 어떻게 해야 하는지요? 예수님은 끝까지 자기의 본질을 유대인의 왕이라고 말씀하십니다. 끝까지 자신의 정체성을 정치가로 말씀하고 계십니다. 예수님은 이미 이 혁명을 성공시키셨습니다.

예수님 전과 예수님 이후는 다릅니다. 예수님은 사역을 성공시키셨습니다. 하나님의 나라를 이루셨습니다. 우리는 이 세상 나라, 즉 사탄이 장악한 나라들마저도 하나님의 나라로 바꾸어야 합니다. 이것이 우리가 이 세상에서 할 일입니다. 왜냐하면 예수님께서 사탄의 머리, 즉 뱀의 머리를 깨버리셨기 때문입니다. 단순히 세상 권력을 얻는 것이 우리의 목표가 아니라, 한국 미국 일본 등을 하나님의 진리로 움직여가는 세계로 바꾸는 것이 우리의 목표입니다. 그래서 예수님은 끝까지 유대인의 왕이라 집착하셨던 것입니다. 예수님만이 하실 수 있는 일, 즉 십자가에 달리시는 일을 예수님은 성공시키셨습니다. 진리를 무엇인지 보여주셨습니다. 그래서 예수님은 빌라도에게 진리에 대해선 답변하지 않으셨습니다. 빌라도가 못 박을 십자가에 달리시는 일이 진리의 완성이셨기 때문입니다. 성경은 예수님에 대해 말씀하고 있고, 예수님은 율법의 완성이셨고 십자가는 그 귀결이었고 부활은 그 성공의 표시였습니다.

예수님이 하실 일과 우리가 할 일은 같은 부분도 있고, 다른 부분도 있습니다. 사도들과도 마찬가지입니다. 이 부분은 제대로 해석해야 우리가 실수하지 않습니다. 그러나 많은 경우 정반대로 하는 경우들이 있습니다. 각 교단의 총회장 선거 등도 이 세상 나라에 속한 것입니다. 교회의 선거라 해서 하나님 나라에 속한 것이 아닙니다. 그 안에 이미 진리가 없기 때문입니다. 그런데 자꾸 신학자들과 목회자들은 교단 선거는 하나님 나라의 일이고, 세상 선거는 세상의 일이라고 구분 짓고 교인들을 그렇게 가르쳤습니다. 이는 거짓입니다. 사탄의 속임수입니다.

유대인들은 하나님을 섬긴다 했지만, 이들은 결국 세상 나라였습니다. 그러나 다윗의 나라는 하나님의 나라였습니다. 그 중심이 어떠하냐에 따라 바뀝니다. 영역으로 하나님 나라와 세상 나라가 구별되는 것이 아니라 진리 유무로 구별됩니다.

그래서 예수님은 재차 유대인의 왕이 아니냐고 묻는 빌라도에게 유대인의 왕이라고 말씀하시면서 이를 위해서 났고 이를 위하여 세상에 왔고 곧 진리에 대하여 증거 하려 함 이로라고 말씀하시고 진리에 속한 자는 내 소리를 듣는다고 말씀하셨습니다.(요18:37)

빌라도는 이를 이해할 수 없었습니다. 오늘날도 많은 신학자들과 목회자들 정치가들이 이해하지 못하고 있습니다. 로마도 유대도 진리에 속하였으면 하나님의 나라가 됩니다. 그러나 그렇지 못하면 교회라 할지라도 하나님의 나라와 상관이 없습니다. 교회가 하나님의 나라가 아니요, 국가가 하나님의 나라가 될 수도 있습니다. 유대인들이 믿음을 저버렸으나, 백부장이 유대인들보다 더 큰 믿음을 가졌던 것과 같은 일입니다. 표면적 유대인이 유대인이 아니요, 이면적 유대인이 유대인입니다. 표면적 교회가 교회가 아니요, 이면적 교회가 교회입니다. 중요한 것은 진리이지, 그 외양이 아닙니다. 빌라도는 이 점을 전혀 깨달을 수 없었습니다. 왜 유대인의 왕이라 하시면서 또 이 세상 나라에 속한 것이 아니라고 하시는지 이해할 수 없었기에 그는 재차 예수님께 물었던 것입니다. 그리고 그는 다시 진리가 무엇이냐고 묻습니다. 그러나 예수님은 대답하시지 않습니다.(요18:38) 그는 깨달을 수 없는 사람이었습니다. 백부장은 깨달았으나 그의 상관 빌라도는 깨닫지 못했습니다.

진리에 거하지 않는 모든 나라는 하나님을 대적하는 나라입니다. 진리에 거하지 않는 모든 정당도 하나님을 대적하는 정당입니다. 진리에 거하지 않는 모든 교회도 하나님을 대적하는 세상이며, 진리에 거하지 않는 모든 목회자, 교인들도 하나님을 대적하는 사탄입니다. 그래서 순간 베드로도 사탄이 되어 주님께 호되게 당했던 것입니다. 그들이 유대인의 회라 하나 실상은 사탄의 회입니다. 그래서 예수님께서는 유대를 세상이라 하셨습니다. 사탄의 회가 된 유대에 예수님의 나라가 속할 수 없었던 것입니다. 그런데도 예수님은 자신을 유대인의 왕이라 하셨습니다. 이는 진정한 유대의 왕, 즉 진정한 유대를 건설할 왕, 진정한 유대인들의 왕이라는 말씀이셨습니다.

중요한 것은 진리에 거하고 있느냐 하는 점입니다. 교회나 개인이나 조직이나 나라가 진리에 거하고 있는가 하는 점입니다. 이 점이 있다면 이는 하나님의 나라에 속한 것이고, 그것이 없다면 마귀에게 속한 것입니다. 한나라당 등의 행태를 보면 이들이 마귀에게 속한 짓을 한다는 것을 잘 알 수 있습니다. 가난한 자를 성실히 신원하지 않습니다. 외식하는 서기관과 바리새인들의 짓을 하고 있습니다. 북한 공산당도 마찬가지로 마귀에게 속하였다는 것을 알 수 있습니다. 하나님의 영광을 김일성, 김정일 같은 자들이 가로채고 있습니다. 지난 번 총선에 나온 기독당도 마찬가지로 마귀적 성격이 많습니다. 그들의 주장이 바리새인들의 것과 유사합니다. 바리새인들도 안식일, 십일조, 성전에 목숨 거는 듯이 보였지만 실상은 그들은 돈에 눈 먼 자들이었고, 세상 탐욕에 모든 것을 건 자들이었습니다.

결론적으로 지금까지 이 말씀을 오해하여 정치에 참여하느냐 마느냐로 오랫동안 기독교계가 논쟁을 해왔습니다. 참여와 비참여가 아니라, 참여든 비참여든 진리가 있느냐 하는 점입니다. 어떤 사람은 참여할 수 있고, 어떤 사람은 참여하지 않을 수 있습니다. 모든 사람이 정치를 할 수는 없습니다.

그러나 참여해도 진리 가운데 참여해야 하며, 참여하지 않아도 진리 가운데 참여하지 않아야 합니다. 모두가 말씀을 전하는 자이겠느냐, 모두가 섬기는 자이겠느냐, 모두가 병 고치는 자이겠느냐, 모두가 방언하는 자이겠느냐? 즉 직분의 차이는 있을 수 있지만 이 모든 직분에 진리가 있어야 합니다. 정치는 섬기는 영역입니다.

그런데 지금까지 기독교계는 참여해도 진리가 없었고, 참여하지 않는 자들도 진리가 없었습니다. 모두 하나님과 상관없는 일들을 했던 것입니다. 사람들은 예수님의 이 말씀을 교회가 세상 정치에 참여하지 않아야 한다는 뜻으로 이해했습니다. 큰 오해였던 것입니다. 하나님께서는 여러 차례 이 세상에 직접 하나님의 나라를 만드시려고 시도하셨습니다. 아담을 통해서도 그렇게 하셨고, 모세를 통해서도 그렇게 하셨습니다. 그러나 다 실패로 돌아갔습니다. 악한 인간들의 한계 때문입니다. 사탄의 방해 때문입니다.

이제 예수님이 오셔서 전혀 다른 방법을 쓰셨습니다. 즉 진리와 은혜로 오셨고 십자가에서 돌아가신 것입니다. 이 방법은 성공하셨습니다. 그리고 이 성공은 모든 영역에서 확장되어가고 있습니다. 아리랑당의 정치는 진리 가운데 정치 영역에서 하나님의 나라를 확장하기 위한 시도입니다. 성공할 것입니다. 너희가 내 안에 거하고 내 말이 너희 안에 거하면 무엇이든지 원하는 대로 구하라 그리하면 이루어지리라고 말씀하셨습니다. 즉 이 일의 성공도 이 진리와 관련되어 있다는 점입니다. 그런데 주의해야 할 것은 많은 교회들도 실패했다는 점입니다. 그러니 정당은 얼마나 더 어렵겠습니까? 그러나 어려운 것이지 불가능한 것이 아니며, 시도해선 안 될 금기도 아니라는 점입니다.

하나님의 나라와 세상 나라의 차이는 진리의 유무 여부에서 판가름 나는 것이지 공간과 지리의 문제, 혹은 영과 육의 문제, 영역의 차이의 문제가 아니었던 것입니다. 그런데 진리에 거하지 못한 신학자들과 목회자들이 이를 후자로 해석해서 이런 문제가 확산되었던 것입니다.

그래서 하늘나라를 하나님 나라로 땅의 나라들을 세상 나라로 해석해버렸고, 영을 하나님의 것으로 육을 세상 것으로 돌렸습니다. 그러나 하나님의 나라는 하늘에서 이루어지신 것 같이 땅에서도 이루어지며, 영과 혼과 육 모두에 진리로 이루어집니다.

출애굽기 19장 5-6절 말씀은 요한복음 말씀과 연관되어 해석될 수 있습니다.

세계가 다 내게 속하였나니 너희가 내 말을 잘 듣고 내 언약을 지키면 너희는 열국 중에서 내 소유가 되겠고

너희가 내게 대하여 제사장 나라가 되며 거룩한 백성이 되리라는 말씀입니다.

예수님께서 자기를 믿은 유대인들에게 말씀하시기를 너희가 내 말에 거하면 참 내 제자가 되고 진리를 알지니 진리가 너희를 자유케 하리라 하신 말씀(요8장)을 기억해봅시다. 내 말에 거한다는 것은 말씀을 잘 듣고 그 말씀을 지킨다는 뜻입니다.

예수님이 빌라도에게 말씀하신 진리는 바로 위의 말씀과 출애굽기 19장의 말씀과 연관됩니다. 예수님 당시의 유대는 열국 중에서 하나님의 소유, 제사장 나라가 되지 못했습니다. 하나님의 말씀을 듣지도 않았고 하나님의 언약도 지키지 않았기 때문입니다. 그래서 예수님 당시의 유대는 세상이 되었고 예수님께서는 하나님의 나라가 유대 같은 세상과 관련이 없다고 말씀하신 것입니다.

지금의 교회도 마찬가지입니다. 만약 하나님의 진리를 잘 듣고 지키지 않는다면 이는 하나님과 아무 상관이 없는 곳이 됩니다. 아리랑당의 정치가 하나님의 정치가 되기 위해선 우리가 하나님의 말씀을 잘 듣고 지켜야 합니다. 예수님께서 로마가 두려워서 그들과 싸우지 않으신 것이 아니라, 하나님의 말씀을 이루시기 위해 스스로 목숨을 내어놓으신 것입

니다. 그러나 우리는 이 세상의 권력들과 이 세상의 나라들이 두려워 그들의 불의함도 지적하지 않고, 목숨을 내어놓지도 않습니다. 아리랑당의 정치는 이 세상에 속한 것이 아닙니다. 예수님은 십자가를 통해 하나님의 나라를 세우셨습니다. 이는 포괄적 하나님의 나라입니다. 참 유대인의 왕 예수님께선 실상은 사탄의 회인 세상 나라가 되어버린 유대를 진정한 하나님의 나라 유대로 바꾸시기 시작하셨습니다. 아리랑당의 사역은 바로 이런 정치입니다. 아리랑당의 정치를 통해 우리는 정치라는 작은 영역에서 하나님의 나라를 이 땅 위에 이루어지시게 하는 일을 할 것입니다.

아버지의 뜻이 하늘에서 이루어지셨습니다. 예수님께서는 이 땅에서 하나님의 뜻을 이루셨고, 하나님의 나라를 만드셨습니다. 우리의 정치는 바로 이 땅에 하나님의 나라를 정치 영역에서 만드는 일입니다. 그래서 아리랑당의 정치는 이 세상에 속한 것이 아닙니다. 아리랑당의 정치는 한기총에 속한 것이 아니라, 하나님 나라에 속하기 원합니다.

예수님은 칼로 싸우신 것이 아니라, 진리로 싸우셨으며, 칼로 정복하신 것이 아니라, 자신의 몸을 내어줌으로 정복하신 것입니다. 예수님은 목숨을 내어놓고 저항하셨으나, 지금의 교회들은 이 불의한 세상이 틀렸다고 말함으로써 저항하는 일을 하지 않습니다.

33. 당이 말씀 전파에 힘써야 할 이유

아리랑당은 말씀과 기도 중심으로 나아갑니다. 이는 이스라엘 열왕의 공통점이었습니다. 역대하 17장에서 여호사밧 왕은 유다에 말씀 가르치는 일에 전심을 다했습니다. 레위인들과 제사장들로 하여금 유다 전역에 순행하며 말씀을 가르치게 했습니다. 여러 왕들은 위기 때마다 기도로 국난을 극복했습니다. 하나님의 말씀을 읽고 가르치고 기도드리며, 순종하는 것 이 길만이 한 국가의 안녕을 보장합니다. 그 땅의 모든 악행, 특히 우상 숭배를 없애고 또 가난한 사람들을 성실히 신원하는 것이 그 국가의 번영의 지름길입니다. 아리랑당은 이 땅을 이렇게 변화시키고자 합니다. 여호사밧 왕은 말씀과 기도 위에서 국방 강화 등 다양한 일들을 펼치고 태평성대를 이루어갑니다. 우리의 모든 기본을 말씀과 기도 위에 세우고 우리가 해야 할 바를 한다면 하나님께서는 평안의 길로 인도하실 것입니다.

온 나라의 국민들이 하나님 말씀을 묵상할 때, 시냇가의 심은 나무처럼 되어 나라 전체가 크게 형통할 것입니다. 그래서 우리 아리랑당은 국가를 위해, 국민을 위해 성경 공부를 확산시켜야 합니다.

"저가 위에 있은지 삼년에 그 방백 벤하일과 오바댜와 스가랴와 느다넬과 미가야를 보내어 유다 여러 성읍에 가서 가르치게 하고 또 저희와 함께 레위 사람 스마야와 느다냐와 스바댜와 아사헬과 스미라못과 여호나단과 아도니야와 도비야와 도바도니야 등 레위 사람을 보내고 또 저희와 함께 제사장 엘리사마와 여호람을 보내었더니 저희가 여호와의 율법책을 가지고 유다에서 가르치되 그 모든 성읍으로 순행하며 인민을 가르쳤더라 여호와께서 유다 사면 열국에 두려움을 주사 여호사밧과 싸우지 못하게 하시매"(역대하17장 7-10)

34. 주께서 우리 위에 세우신 이방 열왕

느헤미야서 9장 37절에는 이방 열왕이 이스라엘을 다스리게 하신 분이 하나님이심을 느헤미야가 고백하고 있습니다. 사울을 세우신 분도 하나님이셨고, 다윗, 아합, 느부갓네살, 아닥사스다, 고레스, 알렉산더, 시저, 네로... 네가 유대인의 왕이냐는 빌라도의 질문에 네 말이 맞는다고 말씀하신, 유대인의 왕이신 예수님이 바로 이 왕들을 세우신 분이십니다. 이 말씀을 빌라도, 유대 지도자들도 그리고 유대인들도 이해하지 못했습니다. 오늘날 많은 목회자들과 기독인들은 이해하지 못하고 있습니다.

예수님께서 유대인의 왕이신데 왜 로마를 상대로 독립 전쟁을 벌이지 않으셨냐고 의아해 합니다. 그러면 예수님께서는 다윗 왕 때도 독립 전쟁을 벌이셨어야 합니다. 왕권 쟁탈전을 다윗을 상대로 벌이셨어야 합니다. 다윗 왕 때 왕위 쟁탈전을 벌이지 않으신 예수님은 로마 황제들 앞에서도 그렇게 하실 이유가 없으셨습니다. 그 로마 황제를 세우신 분이 예수님이셨기 때문입니다.

예수님 당시의 유대인들은 그 죄악을 회개했어야 하고 그에 합당한 열매를 맺었다면 독립을 얻었을 것입니다. 오늘날 기독인들은 당시 유대인들과는 또 다른 측면에서 이를 오해하고 있습니다. 그래서 예수님을 비정치적이셨다고 해석합니다. 그리고 정치에도 정의에도 관심을 가지지 않습니다. 오직 자신들의 안위에만 관심을 가집니다.

35. 회개와 정치 개혁의 상관관계

회개는 돌이켜서 의로운 길로 가는 것입니다. 의로운 길은 하나님을 사랑하고 이웃을 사랑하는 일입니다. 죄는 하나님을 사랑하지 않고, 이웃을 사랑하지 않는 것입니다. 따라서 회개한 사람은 하나님을 사랑하고 이웃을 사랑하는 일에 모든 것을 바칩니다.

사회 개혁의 핵심은 하나님을 사랑하고 이웃을 사랑하는 일입니다. 사회 개혁의 핵심은 정치 개혁이며, 이웃을 사랑하는 길은 정치를 통해 가장 광범위하게 이루어집니다. 그런데 교회에서 회개가 잘못 가르쳐짐으로 말미암아 바리새인들의 제자 같은 즉 온 천하를 다녀 제자 하나를 얻어 더 악하게 만들어놓는다고 말씀하신 예수님의 강화처럼, 오늘날 교인들이 사회 개혁에 전혀 관심이 없는 사람들이 되어버립니다.

이사야 선지자는 이 점을 잘 지적했습니다. 사도들의 가르침의 핵심도 이것입니다. 사회는 나와 이웃의 집합체입니다. 사회 문제에 관심이 없는 자는 강도 만난 사람을 지나쳐간 레위인과 제사장 같은 사람들입니다. 사회 문제의 요체는 정치입니다. 모든 문제가 정치에서 출발합니다. 회개는 나를 바꾸는 일만이 아니라, 사회를 바꾸는 일입니다. 하나님이 기뻐하시는 금식은 흉악의 결박을 풀어주며, 압제 받는 자를 구해주는 일이기 때문입니다. 그런데 사회 개혁의 핵심은 정치 개혁입니다.

한 사회가 복 받기 위해선 하나님의 보호하심, 하나님 보시기에 정의로움이 필요합니다. 그래서 정치는 하나님 경외와 밀접한 관련이 있습니다. 회개는 사회를 지향하지 않던 나를 바꾸는 일입니다. 나만을 지향하던 이기적 자아에서 사회를 지향하는 이타적 자아와 하나님을 섬기는 이신적(利神的) 자아로 바꾸는 일이 회개입니다. 내가 너희를 사랑한 것처럼 너희도 서로 사랑하라는 말씀을 하신 예수님이 우리의 모본입니다.

회개한 사람은 바로 예수님처럼 하나님을 사랑하고 온 인류를 사랑하는 사람이 되어야 합니다. 세례 요한의 회개에 합당한 열매를 맺으라는 말씀, 회개하라고 외치신 주님의 명령을 따라 우리는 이 길을 갑니다.

36. 재판은 여호와를 위한 것

여호사밧 왕은 재판관들을 모아놓고, 재판은 사람이 아니라 여호와를 위한 것이므로 여호와를 두려워하는 마음으로 삼가 행하라고 명합니다. (역대하19:6-7)

여호와를 경외함으로 충심과 성의로 재판하라고 명합니다. 여호사밧은 레위인과 제사장과 족장들을 세워 이 일을 맡깁니다. 촛불 시위에 관한 재판에 상층부가 관여했다는 의혹이 사법부 내부에서 제기되고 있습니다. 이 뿐 아니라 대기업이나 권력자들이 연계된 재판에서 불의가 횡행하고 있는 모습이 자주 보입니다. 유전 무죄, 무전 유죄라는 이야기는 서민들 사이에서 자주 회자됩니다. 재판은 하나님께 속한 것이라는 말씀이 있습니다. 재판이 불의한 나라는 반드시 하나님의 징계를 받게 되어 있습니다.(역대하 19:10)

'불의한 법령을 만들며 불의한 말을 기록하며 가난한 자를 불공평하게 판결하여 가난한 내 백성의 권리를 박탈하며 과부에게 토색하고 고아의 것을 약탈하는 자는 화 있을진저"(이사야서10장1-2)

그 화가 다음과 같이 임할 것이라고 하나님께선 이사야 선지자를 통해 경고하십니다. 그러나 이스라엘과 유대는 이 경고를 받아들이지 않고 결국 멸망하게 됩니다.

"벌하시는 날에와 멀리서 오는 환난 때에 너희가 어떻게 하려느냐 누구에게로 도망하여 도움을 구하겠으며 너희의 영화를 어느 곳에 두려느냐 포로 된 자 아래에 구푸리며 죽임을 당한 자 아래에 엎드러질 따름이니라 그럴지라도 여호와의 진노가 돌아서지 아니하며 그의 손이 여전히 펴져 있으리라"(이사야서10장3-4)

대한민국에서 보이는 재판과 관련한 타락한 현실은 우리의 암담한 미래를 자초하는 화근입니다. 그래서 우리는 이것을 개혁해야 합니다.

지극히 작은 자 하나에게 하는 행위가 곧 하나님께 하는 행위입니다.

37. 예수님과 선지자들과 사도들

구약과 신약의 선지자들과 사도들의 차이는 무엇일까요? 대부분의 설교자들이 이 분들을 연속선상에서 보지 않고 있기 때문에 구약의 선지자들은 사회 정의에 대해 많은 이야기들을 하지만, 사도들은 정의에 별 관심이 없고 복음에만 관심이 있다는 쪽으로 이해하고 있고, 이 복음은 그저 천국에 들어가는 이야기 정도로 축소되어 있습니다. 그 결과로 교회는 사회 정의에 관심이 없습니다. 그래서 교회에 오래 다니다보면 구약과 괴리된 신약이라는 느낌을 가지게 되는데 이는 전혀 그렇지 않습니다.

소경된 목회자들이 잘못 인도했기 때문에 이런 일이 벌어진 것입니다.

사도 바울은 데살로니가 교인들에게 편지하면서 이 문제에 관련하여 우리로 하여금 올바른 인식을 가지도록 해줍니다.

형제들아 너희가 그리스도 예수 안에서 유대에 있는 하나님의 교회들을 본받은 자 되었으니 저희가 유대인들에게 고난을 받음과 같이 너희도 너희 나라 사람들에게 동일한 것을 받았느니라(살전2:14)

유대인은 주 예수와 선지자들을 죽이고 우리를 쫓아내고 하나님을 기쁘시게 아니하고 모든 사람에게 대적이 되어(살전2:15)

위 두 말씀에서 무엇을 깨달을 수 있나요?

38. 다윗과 헤롯과 빌라도의 정치신학의 차이

다윗은 나의 왕 나의 하나님이시여 나의 부르짖는 소리를 들어주시라고 간구 드립니다.(시5:2)

헤롯은 유대인의 왕이 태어나셨다는 이야기에 놀라 많은 아이들을 죽입니다.(마2)

빌라도는 예수님께 네가 유대인의 왕이냐고 묻습니다. 거기에 예수님은 네 스스로 하는 말이뇨 다른 사람들이 나를 대하여 네게 한 말이뇨 하고 물으십니다.(요18:33-34)

다윗은 예수님께서 유대인의 왕이심을 고백했지만, 그리고 잘 이해하고 있었지만 헤롯과 빌라도는 그렇지 못했습니다. 정치 신학이 올바른 다윗은 그 후손으로 그리스도께서 나셨고, 그를 주라고 불렀고 주님은 이 부분을 다시 사람들에게 물으셨고 사람들은 이해하기가 힘들었습니다.

　사무엘하23장 3-4절에서 다윗왕은 이렇게 고백하십니다. "이스라엘의
하나님이 말씀하시며 이스라엘의 반석이 내게 이르시기를 사람을 공의
로 다스리는 자, 하나님을 경외함으로 다스리는 자여 그는 돋는 해의
아침 빛 같고 구름 없는 아침 같고 비 내린 후의 광선으로 땅에서 움이
돋는 새 풀 같으니라 하시도다"

　정치 신학이 잘못된 헤롯은 죄 없는 아이들을 죽였고, 빌라도는 그의
왕을 죽였습니다. 오늘날 우리는 어떤 정치 신학을 가지고 있는가요?
정치와 종교는 분리되어야 한다는 말을 어떻게 이해하고 있는가요?
다윗 왕 때는 신정 정치이고, 지금은 신정 정치 시대가 아닌가요? 하나님
께서 만왕의 왕이시라는 내용이 들어가는 수많은 찬양을 오늘날도 많은
교회에서 예배 때 부르고 있는데 그럼 이는 어떻게 된 것인가요?

39. 구원과 정치

　우리가 구원을 어떻게 이해하고 있느냐에 따라서 우리의 신앙생활이
상당 부분 바뀌게 된다. 현재 한국 기독교가 비판받는 이유 중 하나가
바로 구원에 대한 잘못된 이해에서 비롯된 신학이 전반적으로 신자들의
생각을 사로잡기 때문이라고 본다. 이는 곧바로 사회 정의와 무관한 지
극히 개인적이고 오로지 내세지향적인 개별 신자들을 양산함으로써 한
국 사회의 발전을 가로막고 있는 요소가 된다. 이것이 한국 기독인의
비정치화를 촉진하고 있다. 따라서 이에 대해 분명히 알아야 아리랑당은
기독인들을 제대로 가르칠 수 있고, 정치 대열에 참여시킬 수 있다.

구원을 여러 측면에서 살펴보자.

1) 죄악으로부터의 구원

그들이 그 우상들과 가증한 물건과 그 모든 죄악으로 스스로 더럽히지 아니하리라 내가 그들을 그 범죄 한 모든 처소에서 구원하여 정결케 한즉 그들은 내 백성이 되고 나는 그들의 하나님이 되리라" [겔 37:23] 구원은 죄악의 대가로부터 구원이기 이전에 우리가 짓고 있는 죄악으로부터의 구원이다. 즉 죄를 떠나게 만드는 것이 구원이다. 이 죄는 하나님과 타인에 대하여 해를 가하는 행위에 대한 포괄적 지칭이다. 그런데 오늘날 많은 신자들이 구원을 죄악의 대가, 심판으로부터의 구원으로만 생각하는 경향이 있다고 본다. 그래서 어떤 죄를 지었든 이제 구원되었고, 천국이 보장되어 있다고 생각하면서 오늘날 여전히 그들이 저지르는 죄악에 대해 둔감하다.

따라서 기독인들이 한 사회의 죄악을 줄여나가는 데 기여하지 못하게 된다. 선지자들이 끊임없이 하나님의 말씀을 통해 그 땅의 죄악으로부터 그 거민들을 벗어나게 하기 위해 노력한 것과 대조되는 바다. 이것이 바로 오늘날 기독인들이 자기만 구원받으려고 하는 결과다. 그러니 이런 것을 잘 알지 못하는 기독인들이 당연히 정치에 둔감하다. 정치는 사회 정의를 이루는 것으로서 사회가 죄악으로부터 떠나게 만드는 기능을 담당한다. 예수님께서 유대인의 왕이라고 말씀하신 것은 바로 예수님의 구원에 이런 정치적 기능, 사람들을 그 죄악으로부터 떠나게 만들고 의롭게 살게 만드는 왕의 기능이 예수님 사역의 핵심 영역임을 가장 적절하게 표현한 바라고 볼 수 있다. 권세 자들이 하나님의 사자가 되어 정의를 구현한다고 사도 바울도 말씀한 적이 있다. 바로 이런 기능이다.

2) 죄악의 대가로부터의 구원

죄악에는 대가가 따른다. 가장 큰 대가는 사망이다. 하나님은 정의로우셔서 심판하시는 분이시기 때문이다. 그런데 정의로우신 하나님이 사람들을 대신해서 십자가에서 돌아가심으로써 그 죄악의 모든 대가를 대신 치러주셨다. 그리고 이를 받아들이고 겸손하게 회개하는 사람들에겐 영생이 주어진다. 영생이란 하나님과 함께 함이다. 그런데 이 영생이 어떤 상태인가? 나 홀로 평안을 누리는 상태인가? 아니다. 하나님을 경외하며 서로 사랑하는 삶이다. 그런데 이 땅에서 누가 죄악의 대가로 인한 고통을 받든 관심 없는 사람이 하나님을 경외하는 사람이며, 그들을 사랑하는 사람이라고 말할 수 있는가?

3) 나의 죄의 결과로부터의 구원

내가 죄를 지으면 그 피해자에게 내 죄의 결과가 남아 있고, 나에게는 심판의 형태로 죄의 결과가 남아 있게 된다. 하나님은 내 피해자를 그 상태로부터 구원해주신다. 당연히 나도 노력해야 한다. 내 죄를 잘 살펴보아야 한다. 내가 부동산 투기를 통해 이 사회에 죄를 지었다면 어떤 노력을 통해 이 죄 값을 해결해야 할 것인가? 그 피해자들을 구제할 것인가 찾아보아야 한다. 여기엔 개인적인 기부도 있을 수 있고, 보다 포괄적인 제도와 법의 개선을 시도하는 것이 있을 수도 있다. 그런데 양자가 다 필요하다. 기독인들이 전자에 멈추는 경우가 많은데 이는 죄의 영향에 대한 잘못된 인식에 기반 한다. 법과 제도를 바꾸는 일이 바로 정치다. 그러니 구원받았다고 자랑하는 기독인이 정치에 무관심한 것은 어불성설이다.

4) 타인의 죄의 결과로부터의 구원

타인이 우리에게 죄를 지어도 마찬가지로 그 죄악의 결과가 여러 형태로 실질적으로 남아있게 마련이다. 누군가 어떤 형제를 때리면 상처가 남듯이 그렇게 된다. 그런데 하나님은 이 죄의 결과로부터 우리를 구원해주신다. 그 상처를 낫게 해주신다. 강한 자들이 약한 자들을 약탈하고, 부자들이 그렇게 하면 가난한 자들은 심각한 위기 상태에 빠진다. 바로 이런 죄악의 결과 상태로부터 피해자인 우리를 구해주신다. 그런데 하나님만 이 일을 하시는가? 결코 아니다. 우리가 이 땅에서 이 일을 담당하라고 하나님은 명령하셨다. 정의는 사회적인 것이지, 결코 개인적인 것이 아니다. 그러므로 구원은 사회적인 것이지, 개인적인 것이 될 수 없다. 개별적으로 구원받지만, 대사회적 정의 행위를 표출하지 못하는 자가 구원받는다는 것은 하나님을 불의한 분으로 만드는 일이다. 우리의 구원은 믿음으로 받는다. 그런데 이 믿음은 아브라함의 순종을 포함한다.

5) 우리는 무엇을 해야 하는가?

죄로부터 떠나야 하고, 죄의 대가를 예수님이 치러주셨음을 받아들여야 하고, 죄의 결과로 고통당하고 있는 이들을 돌보아주어야 하고(삭개오처럼), 다른 사람들도 죄를 짓지 않게 해주어야 하고, 이 사회 전체가 하나님을 섬기고 서로 사랑하게 만들어야 한다. 이것이 구원의 온전한 형태다. 그리고 이 형태 중 본질적 수단 중 하나가 바로 정치다. 예수님이 유대인의 왕이셨던 것을 기억해야 한다. 이 땅에서 우리가 왕 노릇 하려는 것을 포기하는 것은 바로 우리가 포괄적 구원에 관심이 없음을 의미한다.

40. 구원의 목적에 대한 오해

많은 사람들이 구원을 얻으려 하고, 특히 구원파 같은 교단들은 이를 집중적으로 가르치면서 그 세를 형성해가고 있다. 그러나 구원에 대한 이해가 잘못되면서, 마치 야고보 사도가 말씀하셨듯이 사도 바울의 말씀을 무리하게 풀이하여 잘못된 길로 가는 사람들이 많으며, 교회 전체적으로 볼 때도 이런 경향이 짙기 때문에 오늘날 한국 교회가 보이는 불량한 모습의 원인이 되기도 한다. 사도 바울은 디도에게 보내는 편지를 통해 예수 그리스도께서 자신을 내어주심으로 우리를 구속하신 이유를 분명히 말씀하고 계시다.

"그가 우리를 대신하여 자신을 주심은 모든 불법에서 우리를 구속하시고 우리를 깨끗하게 하사 선한 일에 열심 하는 친 백성이 되게 하려 하심이니라" (디도서 2장 14절)

그리스도께서 우리를 위해 돌아가신 목적이 우리를 구원하셔서 우리만 잘 먹고 잘 사는, 그러다가 천국에 들어가게 하시는 데 있지 않으시다. 그러나 실상은 많은 교인들이 이렇게 살아가고 있는데 이는 많은 목회자들이 그렇게 가르치는 데 이유가 있다. 사도 바울은 분명히 말씀하신다. 그리스도께서 우리를 대신하여 십자가에서 돌아가신 이유는 모든 불법에서 우리를 구속하시고 우리를 깨끗하게 하사 선한 일에 열심 하는 친 백성이 되게 하려 하심이라고.

만약 우리가 구원을 얻었다 하면서도 모든 불법에서 벗어나지 못하고 깨끗해지지 않고 여전히 불법을 행하며 더러움 가운데 있다면, 그리고 선한 일에는 관심도 없고 열심도 없다면 우리는 구원의 목적과 동떨어져 있으며 구원받았는지도 의심해보아야 한다.

사도 바울의 구원론과 야고보의 구원론은 다르지 않다. 교인들을 모든 선한 일과 관련 없이 그 자신과 그 가족만의 복을 바라는 기복적 신앙으로 몰아가는 불의한 설교자들이 빨리 돌이키기를 바란다. 만약 그렇지 않다면 이들에게 하나님의 저주가 임하리라. 심판 날에 '내가 도무지 너희를 알지 못한다. 불법을 행하는 자들아 내게서 떠나가라'는 말씀이 우리에게 임하지 않도록 우리의 상태를 돌아보아야 한다.

아리랑당의 정치는 하나님을 경외하며 이 땅에 선한 일을 하기 위한 열심 가운데 한 유형이다. 예수님이 우리 죄 대신에 십자가에서 돌아가셔서 우리가 그렇게 이기적인 사람들이 되는 것을 그냥 두고 보시리라고 본다면 이는 큰 오해다. 그런데 이런 오해가 만연해 있다는 것도 또한 놀라운 일이다. 마치 이스라엘이 아브라함의 자손임을 자랑하며 불법을 행한 것처럼.

41. 왕이신 예수님은 정치적 메시아

예수님을 종교적 메시아로 축소하는 것이 대부분의 신학이고, 교회들의 설교입니다. 예수님이 정치적 메시아이신지, 아니면 종교적 메시아이신지 하나만 선택하라면 오히려 정치적 메시아이십니다. 제사를 원치 아니하고 자비를 원하신다고 하신 말씀이 무슨 뜻인지 생각해보라고 하신 예수님의 말씀은 이를 잘 대변해주십니다.

  많은 신학자들이 예수님께서 이스라엘을 로마로부터 해방시키는 일을 하지 않으셨기 때문에 예수님께서는 정치적 메시아가 아니셨다고 말합니다. 그러나 이들의 눈에는 진리가 가려져 있는데, 이는 이들이 보아도 보지 못하고 들어도 듣지 못하여서 깨닫고 고침을 받지 못하게 하려 하심입니다.

  예수님은 이 땅에 오셔서 사탄과 그리고 사탄의 회가 되어버린 유대 정치 지도자들, 종교 지도자들로부터 이스라엘의 압제당한 자들을 해방시켜주시려 노력하셨습니다. 로마보다 유대의 정치 지도자들과 부자들, 종교 지도자들이 더 악독한 독재를 행하고 있었습니다. 로마는 이들을 치는 하나님의 도구였습니다. 그래서 결국 70년경에 로마에 의해 이들이 멸망당합니다. 마치 조선 말기의 사대부 권력과 양반들이 일제의 초기 식민 통치자들보다 더 악했듯이.

  예수님께서는 이렇듯 이사야 선지자로 말씀하신 바 압제당하는 자와 탈취당한 자를 구하시는 일, 즉 하나님이 원하시는 금식을 이 땅에서 행하신 것입니다. 오늘날 대한민국의 대부분의 보수 교회라고 하는 곳들이 하나님과 무관한 곳임을 우리는 잘 알게 됩니다. 예수님의 십자가는 이러한 부패 권력, 독재 권력, 부패 부자들과 싸우시다가 끌려가신 곳이며, 거기에서 다시 주님은 그 목숨을 내어놓아 우리의 죄, 곧 회개하고 돌아오는 모든 사람의 죗값을 치르셨습니다. 이는 종교적 행위가 아니며 오히려 정치적 행위입니다. 왜냐하면 하나님께서 행하신 사형제도, 즉 죄의 삯은 사망인 사형제도 속에서 우리의 죗값을 대신 치르신 일이기 때문입니다.

대한민국의 사법 질서가 현실이듯이, 하나님 나라의 사법 질서는 더욱 더 강력한 현실입니다. 모든 죄인은 죽을 수밖에 없는데 하나님께서는 자신이 이 땅에 직접 오셔서 우리를 위해 돌아가신 것입니다. 이 분은 만왕의 왕이십니다. 따라서 이는 오히려 오늘날 이야기하는 종교적 행위라기보다는 정치적 행위, 즉 사법 질 서적 행위라고 볼 수 있습니다.

시편 43편 말씀에서처럼, 경건치 않은 나라가 예수님에 대한 송사를 일으켰을 때 하나님은 예수님을 변호해주셨으며 간사하고 불의한 자들 곧 유대의 정치지도들과 권력자들 부자들, 로마의 권력자들로부터 건져주셨습니다. 이렇듯 예수님께서는 악독한 정치 경제 지도자들로부터 해방시키심과 아울러, 죽음의 형벌로부터도 해방시키시는 메시아로 이 땅에 오셨고 이 일을 완벽하게 이루어내셨습니다.

42. 양의 왕, 염소의 왕

오병이어의 기적을 체험한 사람들이 예수님을 잡아 저희 임금 삼으려는 줄 아시고 그들을 떠나가십니다. 그리고 예수님은 그들을 떠나가신 이유를 정확히 요한복음 6장 26-27절에서 말씀하고 계십니다. 저희가 나를 따르는 것은 표적을 본 까닭이 아니요, 먹고 배부른 까닭이니라고 말씀하십니다. 마태복음 25장에서 예수님은 교인들을 양과 염소로 가르십니다. 주의해야 할 것은 이들이 모두 교인이었다는 것입니다. 양은 산 자이고, 염소는 죽은 자입니다.

하나님은 아브라함의 하나님, 이삭의 하나님, 야곱의 하나님이십니다. 즉 산 자의 하나님이십니다. 예수님은 왕이 되실 생각이 없으신 것이 아니라, 염소의 왕이 되실 이유가 없으셨던 것입니다. 이것을 오늘날 교회가 오해하고 있습니다. 오늘날 교회도 대부분 염소입니다. 이들은 하나님의 나라와 하나님의 의에 관심이 없습니다. 이들은 무엇을 먹을까 무엇을 마실까에만 관심이 있습니다. 이들은 천국을 그런 곳으로 생각합니다. 천국은 먹고 마시는 데 있지 아니하다고 말씀하셨습니다. 천국은 의의 나라입니다.

즉 의에 관심이 없는 자들은 천국에 들어갈 수 없습니다. 오늘날 대한민국의 대부분의 교인들이 천국에 들어갈 수 없는 이유입니다. 용산 참사에 관심이 없는 자들은 염소입니다. 서민들의 주택 문제, 빈곤 문제에 관심이 없는 자들은 염소입니다. 이들은 가인과 같은 자들입니다. 내가 동생을 지키는 자니이까 라고 하나님께 반문하는 자들이 바로 이런 자들입니다.

하나님께서 기뻐하시는 금식은 흉악의 결박을 풀어주며 멍에의 줄을 끌러주며 압제당하는 자를 자유케 하며 모든 멍에를 꺾는 것입니다.(사 58:6)

예수님은 이런 사람들의 왕이시며, 이런 사람들만 모인 나라를 만들고자 하십니다. 그곳이 바로 천국입니다. 자기 눈에 보이는 강도 만난 이웃의 고통에도 관심 없는 제사장과 레위인 같은 자들은 눈에 보이지 않는 하나님을 결코 사랑할 수 없습니다. 썩는 양식을 위하여 일하지 말고, 영생하도록 있는 양식을 위하여 일하라고 하셨습니다.(요6:27) 가난한 사람에게 베푸는 것이 바로 하나님께 드리는 것이며 천국에 보물을 쌓는 일입니다. 정부의 한계를 우리는 위의 말씀들을 통해 확인해볼 수 있습니다. 미국산 쇠고기, 용산 참사, 미디어관련법, 등등에서 보이는 태도는 염소의 자세입니다. 한국 교회가 양성한 고소영이 이렇게 나타나고 있습니다.

우리는 양이 되어 우리의 왕 되신 예수님의 뜻을 따라 가야 합니다. 가난한 자들과 그 권리를 박탈당한 사람들을 돕는 길이 이 길입니다. 대통령이나 어떤 정치가도 반드시 따라가야 할 길이 있습니다. 이 길이 그들의 대안입니다.

다니엘서에는 이 원칙이 잘 나타나 있습니다.

"왕이여 그 해석은 이러하니이다 곧 지극히 높으신 자의 명정하신 것이 내 주 왕에게 미칠 것이라 왕이 사람에게서 쫓겨나서 들짐승과 함께 거하며 소처럼 풀을 먹으며 하늘 이슬에 젖을 것이요 이와 같이 일곱 때를 지낼 것이라 그 때에 지극히 높으신 자가 인간 나라를 다스리시며 자기의 뜻대로 그것을 누구에게든지 주시는 줄을 아시리이다.

또 그들이 그 나무뿌리의 그루터기를 남겨 두라 하였은즉 하나님이 다스리시는 줄을 왕이 깨달은 후에야 왕의 나라가 견고하리이다

그런즉 왕이여 나의 간하는 것을 받으시고 공의를 행함으로 죄를 속하고 가난한 자를 긍휼히 여김으로 죄악을 속하소서 그리하시면 왕의 평안함이 혹시 장구하리이다 하였느니라"(단4:24-27)

대통령 자리에 오른 것도, 여당이 된 것도 하나님께서 하신 일입니다. 그러나 내려치시는 분도 하나님이심을 잘 알아야 합니다. 불의한 법령을 발포하고도 화를 피할 지도자는 없습니다.(사10:1) 빈핍한 자를 불공평하게 판결하여 내 백성의 가련한 자의 권리를 박탈하는 자들은 화를 맞이하게 됩니다.(사10:2) 피에 맺힌 용산의 부르짖음을 하나님께서는 듣고 계십니다.

거짓 보수의 거대 신문이나 불의한 부자들의 입으로 가련한 서민들의 눈과 귀를 장악하려는 시도는 하나님의 진노하심만 촉발할 뿐입니다. 정부는 여호수아에게 주신 하나님의 말씀을 따라 다시 하나님의 법으로 돌아와야 합니다.(수1:8) 신명기에 나온 그 말씀을 따라 하나님의 법을 다시 묵상하고 지켜 행해야 합니다.(신17:18-19) 서울시를 하나님께 바쳐드리는 일은 이렇게 이루어져야 합니다.

예레미야 선지자가 말씀하신 바를 대통령과 집권당은 들어야 합니다. 예레미야 선지자께서 이르시기를 "다윗의 위에 앉은 유다 왕이여 너와 네 신하와 이 문들로 들어오는 네 백성은 여호와의 말씀을 들을지니라 여호와께서 이같이 말씀하시되 너희가 공평과 정의를 행하여 탈취당한 자를 압박하는 자의 손에서 건지고 이방인과 고아와 과부를 압제하거나 학대하지 말며 이곳에서 무죄한 피를 흘리지 말라"(렘22:2-3) 하셨습니다.

정권은 신성한 국방의 의무를 다하러 온 전경들의 방패를 이용하여 유지될 수도 없고, 신문법과 방송법의 지분구도를 바꾸어서 확보될 수도 없습니다. 잠시 후에 악인이 없어집니다.(시37:10) 눈 깜짝할 사이에 거짓 혀는 사라져버리게 될 것입니다.(잠12:9)

진정한 보수는 하나님께 뿌리를 둔 자입니다. 하나님은 모든 것의 근원이시기 때문입니다. 진정한 진보는 하나님의 나라를 구하는 자입니다. 하나님의 나라가 모든 개혁의 미래이시기 때문입니다.

왜 하나님의 말씀을 따라 좌로나 우로나 치우치지 않아야 하는지, 그 길이 오직 하나님의 말씀에 있는지 알 수 있어야(요14:6)) 정치를 제대로 할 수 있게 됩니다. 국민들을 썩는 양식을 위하여 일하게 하지 말고 영생하도록 있는 양식을 위하여 하게(요6:27) 만드는 정치가 이루어져야 합니다. 예수님은 이런 정치를 위해 이 땅에 유대인의 왕으로 오셨습니다.

모세의 글을 믿지 않았던 대제사장과 서기관과 바리새인들(요5:45-47)의 후예인 한국 기독교의 수장들에게서 배운 자들이 이제 예수님의 제자가 되는 길만이 살 길입니다.

예수님께서 십자가로 끌려가신 이유는 유대인들의 행사를 악하다 증거하셨기 때문입니다.(요7:7) 한국 기독교의 악함을 지적하면 우리에게도 이런 일이 오게 됩니다. 그러나 이는 영광입니다. 예수님께서는 이렇게 우리의 죄를 대신하여 속죄제로 드려지는 길을 확보하셨습니다. 그리고 우리는 구원을, 죄로부터, 죄의 형벌로부터 구원을 얻었습니다. 이제 우리는 주님의 길을 따라 십자가를 지고 하나님의 나라와 하나님의 의를 이 땅 가운데 실현하는 일에 최선을 다해야 합니다.

친구를 위하여 자기 목숨을 버리면 이에서 더 큰 사랑이 없습니다.(요15:13) 악한 권력자들과 악한 부자들로 구성된 강도떼를 만난 사람들의 사마리아 친구(눅10:33)가 되어 주길 원합니다.

아버지의 뜻이 하늘에서 이루어지신 것 같이 땅에서도 이루어지이다는 기도는 우리를 통해 이루어져야 하고 그렇게 되길 간절히 기도드립니다.(마6:10)

대한민국을 세계 지도 국가로 만들고(신28:1) 천하만국으로 복을 얻게 만드는 모범 국가를 만드는 일이 하나님의 나라를 이 땅 가운데 이루는 지름길입니다. 그 규례와 법도가 공의로운 큰 나라를 소망하셨던 하나님의 뜻이 이스라엘을 통해 이루어졌어야 하지만(신4:8), 첫째 아담의 실패를 둘째 아담 되신 예수님께서 다시 성공시키셨듯이 둘째 이스라엘이 되어 그 규례와 법도가 공의로운 큰 나라를 만드는 일에 승리하게 하는 정당 건설이 우리의 당면 과제입니다. 이 일에 한나라당이나 민주당이나 민주 노동당 등과 선의의 경쟁을 해야 합니다.

전 세계 모든 국가의 고통 받는 서민들을 위한 아름다운 도전, 좁은 문으로 들어가는 일이 여러분과 우리를 통해 실현되어가길 소원합니다. 미디어 법을 직권 상정하든지, 정권을 유지하든지 우리가 여기서 말씀을 나누든지 무엇을 하든지 하나님의 영광을 위해 해야 합니다.(고전10:31) 믿음으로 좇아 하지 않는 모든 것이 죄입니다.(롬14:23) 대통령은 양심으로 알 것입니다. 왜 지금 이 일을 하고 있는지, 모든 정치 행위 가운데 어떤 의도가 있는지. 그리고 성령님도 아십니다.

사랑하지 아니하는 자는 하나님을 알지 못하나니 이는 하나님은 사랑이심이라(요일4:8) 공의 정치, 하나님 경외 정치(삼하23:3-4)가 사랑입니다.

왕이 가난한 자를 성실히 신원하면 그 위가 영원히 견고해집니다.(잠29:14) 영구 집권을 꿈꾸는 것이 나쁜 것이 아니라, 잘못된 방법으로 꿈꾸는 것이 악한 일입니다. 예수님은 영구 집권을 꿈꾸시고 그것을 이루셨습니다. 우리도 예수님의 길을 따라 그렇게 가길 소원합니다. 정부도 그 길로 가길 원합니다.

의는 나라를 영화롭게 하여도 죄는 백성을 욕되게 합니다.(잠14:34) 부자 나라로 만들려고 해도 의를 구하지 않으면 결국 나라는 욕되게 변합니다. 조선이 그렇게 해서 망했습니다. 대통령은 무엇보다도 이 나라를 의로운 나라로 변화시키도록 노력해야 합니다. 그래야 나라도 국민도 살고 영화롭게 됩니다. 살고자 하는 자는 죽을 것이고, 죽고자 하는 자는 삽니다. 의를 먼저 지향하지 않으면 반드시 망하게 된다는 것을 인식하는 것이 모든 정치하는 사람들의 철칙입니다.

43. 정치는 선택 아닌 필수이며 그 비율의 영역

정치는 여러 영역 중에서 선택의 문제가 아니며 반드시 해야 할 필수 영역이며, 다만 자신의 삶에 있어서 직접 참여의 비율이 각자 다른 영역입니다.

우리의 직업은 모두 다를 수 있습니다. 전문 정치가가 되어 살아가는 사람은 100% 거기에 헌신한 사람이며, 그러나 그렇지 않다 하더라도 어떤 사람도 건강한 사람이라면, 그리고 생존을 위한 활동을 할 수 있는 사람이라면 반드시, 최소한 10% 이상은 정치에 참여해야 합니다. 정치 참여는 선거에 후보로 나가는 피선거권과 선거에 투표로 참여하는 선거권이 있습니다.

정당을 만들고, 정치적 이념과 정책을 실현하려는 노력은 바로 모든 사람들이 해야 할 정치이며, 그 참여 비율이 다를 뿐입니다. 하나님은 사람을 창조하셨고, 사람들이 만들어가는 사회의 모든 것을 주관하십니다. 그러므로 당연히 정치도 주관하십니다. 정치는 사람들의 삶의 여러 문제를 조정하는 영역이기 때문입니다.

기독인들이 정치에 무관심한 것은 바로 하나님께 무관심한 일이라고 볼 수 있습니다. 자신들이 원하는 하나님의 모습에만 관심을 가지는 것은 잘못된 것이며, 하나님께서 원하시는 일에 관심을 가져야 합니다. 이스라엘은 교회의 모본이며, 정치 공동체이며 신앙 공동체였습니다.

예수님이 오신 후에도 이는 변하지 않습니다. 땅 끝까지 이르러 증인이 되는 일도 우리를 정치로부터 분리해내지 않습니다.

구약에서 보인 하나님의 모든 뜻도 그 증인이 전해야 할 내용이었습니다. 하나님의 나라와 의는 모든 것을 포괄합니다. 나라는 정치로 다스려집니다. 내가 어떤 직업을 가지고 살아가든 직업 활동을 하고 있다면 반드시 이 사회의 정의를 위한 정치에 참여하는 것, 이것은 권리이자 의무입니다.

44. 유다 왕이여. 내가 너 파멸할 자를 준비하리니

하나님께서 이스라엘을 편애하신다고 말하는 사람들이 있습니다. 그러나 성경을 읽어보면 하나님께서 얼마나 혹독하게 유다와 이스라엘을 대하시는지 잘 알 수 있습니다.

하나님께서는 예레미야를 통해 유다 왕과 신하들과 백성들에게 경고하십니다. 하나님의 말씀을 듣고, 공평과 정의를 행하며 이방인과 과부와 고아를 지키면 그들이 평화를 누릴 수 있지만 만약 그렇지 않고 그들을 착취하면 그들을 쫓아내실 것이라고 말씀하십니다. 다음의 예레미야 말씀을 자세히 읽어보십시다. 지금 우리의 현실과 너무도 흡사합니다.

여호와께서 이같이 말씀하시되 너는 유다 왕의 집에 내려가서 거기서 이를 선언하여 이르기를 다윗의 위에 앉은 유다 왕이여 너와 네 신하와 이 문들로 들어오는 네 백성은 여호와의 말씀을 들을지니라. 여호와께서 이같이 말씀하시되 너희가 공평과 정의를 행하여 탈취 당한 자를 압박하는 자의 손에서 건지고 이방인과 고아와 과부를 압제하거나 학대하지 말며 이곳에서 무죄한 피를 흘리지 말라 너희가 참으로 이 말을 준행하면 다윗의 위에 앉을 왕들과 신하들과 백성이 병거와 말을 타고 이 집 문으로 들어오게 되리라마는

너희가 이 말을 듣지 아니하면 내가 나로 맹세하노니 이 집이 황무하리라 나 여호와의 말이니라 나 여호와가 유다 왕의 집에 대하여 이같이 말하노라 네가 내게 길르앗 같고 레바논의 꼭대기 같으나 내가 정녕히 너로 광야와 거민이 없는 성을 만들 것이라

내가 너 파멸할 자를 준비하리니 그들이 각기 손에 병기를 가지고 네 아름다운 백향목을 찍어 불에 던지리라 여러 나라 사람이 이 성으로 지나며 피차 말하기를 여호와가 이 큰 성에 이같이 행함은 어찜인고 하겠고 대답하기는 이는 그들이 자기 하나님 여호와의 언약을 버리고 다른 신들에게 절하고 그를 섬긴 연고라 하리라 하셨다 할찌니라(예레미야22장1-9)

지금 서울이 어떤 도시일까요? 서울이 고아와 과부와 이방인들이 살 만한 도시인가요? 공평과 정의가 편만한 도시인가요? 착취가 없는 곳이며, 압박당하는 사람들이 없는 곳인가요? 그렇지 못하다면 서울은 아주 위험한 도시입니다. 예루살렘을 이방인의 칼 아래 무너뜨리신 하나님께서 이 도시에 대해서도 그렇게 하실 것입니다.

45. 학살의 죄와 해결 방법

이 땅에서 수많은 학살이 이루어졌습니다. 사울은 기브온 사람을 학살했습니다. 아모리 자손인 그들을 살려주기로 맹세한 선대의 언약을 깨고

이스라엘과 유다 족속을 위한 열심으로 그렇게 했습니다.

 "다윗의 시대에 해를 거듭하여 삼 년 기근이 있으므로 다윗이 여호와 앞에 간구하매 여호와께서 이르시되 이는 사울과 피를 흘린 그의 집으로 말미암음이니 그가 기브온 사람을 죽였음이니라 하시니라"(사무엘하 21장 1절)

 다윗이 집권하고서 상당 기간이 지난 후에 사울의 죄로 인한 기근이 삼 년 연속 있게 되었습니다. 이 문제로 기도를 드린 다윗은 응답을 받게 되고 그 해결책을 모색하게 됩니다. 기브온 족속을 부르고 그들에게 이스라엘을 위한 복을 빌기 위해 무엇을 해주면 되겠느냐고 물어봅니다. 그리고 그들은 사울의 후손 일곱의 목숨을 요구합니다.

 "기브온 사람은 이스라엘 족속이 아니요 그들은 아모리 사람 중에서 남은 자라 이스라엘 족속들이 전에 그들에게 맹세하였거늘 사울이 이스라엘과 유다 족속을 위하여 열심이 있으므로 그들을 죽이고자 하였더라

이에 왕이 기브온 사람을 불러 그들에게 물으니라

다윗이 그들에게 묻되 내가 너희를 위하여 어떻게 하랴 내가 어떻게 속죄하여야 너희가 여호와의 기업을 위하여 복을 빌겠느냐 하니

기브온 사람이 그에게 대답하되 사울과 그의 집과 우리 사이의 문제는 은금에 있지 아니하오며 이스라엘 가운데에서 사람을 죽이는 문제도 우리에게 있지 아니하니이다 하니라 왕이 이르되 너희가 말하는 대로 시행하리라

그들이 왕께 아뢰되 우리를 학살하였고 또 우리를 멸하여 이스라엘 영토 내에 머물지 못하게 하려고 모해한 사람의 자손 일곱 사람을 우리에게 내주소서 여호와께서 택하신 사울의 고을 기브아에서 우리가 그들을

여호와 앞에서 목매어 달겠나이다 하니 이르되 내가 내 주리라 하니라"
(사무엘하21장2-6)

우리도 이 땅에서 학살당한 사람들의 원한을 풀어주어야 합니다. 제주도 4.3사건, 6.25 때의 학살, 광주 학살, 또 북한에서의 학살, 최근 용산 재개발 지역의 학살까지.

이 땅의 많은 재앙들의 원인이 어디에 있는지 살펴보고, 하나님께 여쭤보아야 합니다. 수많은 자살, 서민들의 경제적 고통, 바다들에서 계속되는 북한의 침략과 해난 사고, 구제역.

"그러나 다윗과 사울의 아들 요나단 사이에 서로 여호와를 두고 맹세한 것이 있으므로 왕이 사울의 손자 요나단의 아들 므비보셋은 아끼고 왕이 이에 아야의 딸 리스바에게서 난 자 곧 사울의 두 아들 알모니와 므비보셋과 사울의 딸 메랍에게서 난 자 곧 므홀랏 사람 바르실래의 아들 아드리엘의 다섯 아들을 붙잡아

그들을 기브온 사람의 손에 넘기니 기브온 사람이 그들을 산 위에서 여호와 앞에 목 매어 달매 그들 일곱 사람이 동시에 죽으니 때는 곡식 베는 첫날 곧 보리를 베기 시작하는 때더라"(사무엘하21장7-9)
나와 내 삶, 또는 우리와 우리 가족 그리고 이 사회 속에서 벌어지는 재앙이 있다면 그 원인을 하나님께 여쭙고 그 원한을 풀어주는 일이 시급합니다.

광주 학살 피해자들의 후손들에게 내어주는 것이 필요할 수도 있습니다. 사울 왕의 죄를 그 후손들이 져야 했듯이, 이 나라를 통치했던 자들의 죄를 그 후손들이 감당해야 합니다. 통일 후에는 남과 북에서 저지른 학살의 죗값을 치르게 해주어야 합니다. 당연히 이렇게 하기 위해선

학살 죄와 관련한 법을 만들어야 합니다.

46. 왕에게 불순종하는 정의

 각 사람은 위에 있는 권세들에게 굴복하라 권세는 하나님께로 나지 않음이 없나니 모든 권세는 다 하나님의 정하신 바라
 그러므로 권세를 거스른 자는 하나님의 명을 거스름이니 거스른 자들은 심판을 자취하리라
 관원들은 선한 일에 대하여 두려움이 되지 않고 악한 일에 대하여 되나니 네가 권세를 두려워하지 아니하려느냐. 선을 행하라 그리하면 그에게 칭찬을 받으리라
 그는 하나님의 사자가 되어 네게 선을 이루는 자니라 그러나 네가 악을 행하거든 두려워하라 그가 공연히 칼을 가지지 아니하였으니 곧 하나님의 사자가 되어 악을 행하는 자에게 진노하심을 위하여 보응하는 자니라 그러므로 굴복하지 아니할 수 없으니 노를 인하여만 할 것이 아니요 또한 양심을 인하여 할 것이라 너희가 공세를 바치는 것도 이를 인함이라 저희가 하나님의 일군이 되어 바로 이 일에 항상 힘쓰느니라 모든 자에게 줄 것을 주되 공세를 받을 자에게 공세를 바치고 국세 받을 자에게 국세를 바치고 두려워할 자를 두려워하며 존경할 자를 존경하라(로마서 13장:1-7)
우리가 교회에서 잘못 배우게 되는 대표적인 말씀 중에 하나가 바로 위 본문과 관련한 내용입니다. 특히 불의한 권력, 악을 행하는 권력 앞에서 순종하라고 가르친 신사참배 세력과 그 후예들이 우리에게 가르칠

때 많이 사용한 본문입니다.

나봇은 그 포도원을 내어놓으라는 아합 왕의 요구를 거절했습니다. 조상으로부터 물려받은 것을 왕에게 주는 것을 하나님께서 금하실찌로다 이야기했습니다.

그 후에 이 일이 있으니라 이스르엘 사람 나봇이 이스르엘에 포도원이 있어 사마리아 왕 아합의 궁에서 가깝더니 아합이 나봇에게 일러 가로되 네 포도원이 내 궁 곁에 가까이 있으니 내게 주어 나물 밭을 삼게 하라 내가 그 대신에 그보다 더 아름다운 포도원을 네게 줄 것이요 만일 합의하면 그 값을 돈으로 네게 주리라 나봇이 아합에게 말하되 내 열조의 유업을 왕에게 주기를 여호와께서 금하실찌로다 하니 이스르엘 사람 나봇이 아합에게 대답하여 이르기를 내 조상의 유업을 왕께 줄 수 없다 함을 인하여 아합이 근심하고 답답하여 궁으로 돌아와서 침상에 누워 얼굴을 돌이키고 식사를 아니하니(열왕기상 21:1-4)

나봇은 다른 땅과 바꿔주겠다는 왕의 요구를 거절했고, 왕은 식사도 못할 정도가 되었으니 언뜻 보면 왕에게 해를 끼친 나쁜 사람으로 보일 수 있습니다. 아마도 신사참배 세력과 그 후예들은 나봇을 악한 자라고 비난했을 것이고, 그를 때려죽인 아합을 정당하다고 변호해주었을 것입니다. 그러나 엘리야 선지자는 하나님의 말씀을 이들과 다르게 전하셨습니다.

여호와의 말씀이 디셉사람 엘리야에게 임하여 가라사대 너는 일어나 내려가서 사마리아에 거하는 이스라엘 왕 아합을 만나라 저가 나봇의 포도원을 취하러 그리로 내려갔나니 너는 저에게 말하여 이르기를 여호와의 말씀이 네가 죽이고 또 빼앗았느냐 하셨다 하고 또 저에게 이르기를 여호와의 말씀이 개들이 나봇의 피를 핥은 곳에서 개들이 네 피 곧 네 몸의 피도 핥으리라 하셨다 하라(열왕기상 21:17-19)

엘리야는 신사참배의 후예 목사들이 가르치는 것과 달리 아합의 대적이 되었습니다. 아합이 엘리야에게 이르되 나의 대적이여 네가 나를 찾았느냐 대답하되 내가 찾았노라 네가 스스로 팔려 여호와 보시기에 악을 행하였으므로 여호와의 말씀이 내가 재앙을 네게 내려 너를 쓸어버리되 네게 속한 남자는 이스라엘 가운데 매인 자나 놓인 자를 다 멸할 것이요 또 네 집으로 느밧의 아들 여로보암의 집처럼 되게 하고 아히야의 아들 바아사의 집처럼 되게 하리니 이는 네가 나의 노를 격동하고 이스라엘로 범죄케 한 까닭이니라 하셨고 이세벨에 대하여도 여호와께서 말씀하여 가라사대 개들이 이스르엘 성 곁에서 이세벨을 먹을찌라 아합에게 속한 자로서 성읍에서 죽은 자는 개들이 먹고 들에서 죽은 자는 공중의 새가 먹으리라 하셨느니라 하니 예로부터 아합과 같이 스스로 팔려 여호와 보시기에 악을 행한 자가 없음은 저가 그 아내 이세벨에게 충동되었음이라 저가 여호와께서 이스라엘 자손 앞에서 쫓아내신 아모리 사람의 모든 행한 것 같이 우상에게 복종하여 심히 가증하게 행하였더라(열왕기상 21:20-26)

그런데 다시 놀라운 것은 아합이 위 말씀을 듣고 겸비해지자 하나님께서 다시 말씀하신 내용입니다.

아합이 이 모든 말씀을 들을 때에 그 옷을 찢고 굵은 베로 몸을 동이고 금식하고 굵은 베에 누우며 행보도 천천히 한지라 여호와의 말씀이 디셉 사람 엘리야에게 임하여 가라사대 아합이 내 앞에서 겸비함을 네가 보느냐 저가 내 앞에서 겸비함을 인하여 내가 재앙을 저의 시대에 내리지

아니하고 그 아들의 시대에야 그 집에 재앙을 내리리라 하셨더라(열왕기
상 21:27-29)

아합 왕의 권세는 누가 주셨고, 왜 나봇은 거기에 불순종했는지요?
로마서 13장 말씀은 선의 관점에서 해석해야 합니다. 부모에게 주 안에
서 순종하라 하신 말씀처럼, 권력도 주님 안에서만 순종해야 합니다.
그런데 이 땅의 악한 목회자들이 우리에게 엉터리로 성경을 가르쳤던
것이고, 지금도 그런 자들이 너무도 많습니다.

47. 예레미야의 정치 신학: 하나님과 가이사

　예수님을 시험하려고 유대인들이 세금 문제로 여쭤본 적이 있습니다.
이에 대해 예수님께서는 가이사의 것은 가이사에게, 하나님의 것은 하나
님에게 바치라고 말씀하셨습니다. 이 말씀을 잘 이해하지 못하는 사람들
이 많습니다. 이 말씀을 이해하는 데 도움이 되는 구절이 예레미야 18장
에 나옵니다. 또 이 말씀은 전쟁의 위협에 놓인 이 땅에 대한 말씀이기도
합니다.
　"여호와께로부터 예레미야에게 임한 말씀에 가라사대 너는 일어나 토
기장이의 집으로 내려가라 내가 거기서 내 말을 네게 들리리라 하시기로
내가 토기장이의 집으로 내려가서 본즉 그가 녹로로 일을 하는데 진흙으
로 만든 그릇이 토기장이의 손에서 파상하매 그가 그것으로 자기 의견에
선한대로 다른 그릇을 만들더라 그 때에 여호와의 말씀이 내게 임하니라
가라사대 나 여호와가 이르노라 이스라엘 족속아 이 토기장이의 하는

것 같이 내가 능히 너희에게 행하지 못하겠느냐 이스라엘 족속아 진흙이 토기장이의 손에 있음 같이 너희가 내 손에 있느니라 내가 언제든지 어느 민족이나 국가를 뽑거나 파하거나 멸하리라 한다고 하자 만일 나의 말한 그 민족이 그 악에서 돌이키면 내가 그에게 내리기로 생각하였던 재앙에 대하여 뜻을 돌이키겠고 내가 언제든지 어느 민족이나 국가를 건설하거나 심으리라 한다고 하자 만일 그들이 나 보기에 악한 것을 행하여 내 목소리를 청종치 아니하면 내가 그에게 유익케 하리라 한 선에 대하여 뜻을 돌이키리라 그러므로 이제 너는 유다 사람들과 예루살렘 거민들에게 말하여 이르기를 여호와의 말씀에 보라 내가 너희에게 재앙을 내리며 계책을 베풀어 너희를 치려하노니 너희는 각기 악한 길에서 돌이키며 너희 길과 행위를 선하게 하라 하셨다 하라 그러나 그들이 말하기를 이는 헛된 말이라 우리는 우리의 도모대로 행하며 우리는 각기 악한 마음의 강퍅한 대로 행하리라 하느니라"(예레미야18장1-12)

위 말씀을 서기관과 바리새인들, 그리고 대제사장과 그 후예들은 잘 몰랐습니다. 이스라엘의 선생들, 말씀을 맡은 자들이라고 하는 사람들이 잘 이해하지 못했습니다. 예레미야 선지자 당시의 사람들도 잘 몰랐습니다. 분명히 이렇게 말씀해주셨는데도, 그리고 그들은 하나님께서 전능하시다고 말하면서도 실은 믿지도 이해하지도 못했습니다. 그리고 그들의 후손인 유대인들도 그랬습니다. 로마를 세우신 분도 하나님이시고, 가이사를 세우신 분도 하나님이시고, 이스라엘을 가이사의 치하에 두신 분도 하나님이십니다. 그러므로 가이사는 하나님의 것이고, 가이사의 것도 하나님의 것입니다. 그리고 가이사를 이스라엘 위에 세우셨으므로 그 일을 풀어주실 때까지 가이사에게 순종해야 하는 것은 그들의 의무입니다. 이스라엘이 가이사로부터 해방되는 것은 이스라엘이 선해질 때 되는 일입니다. 바로 이런 점들을 오늘날의 대부분의 신학자들도 잘 이해하지 못하고 있고, 대한민국의 목사나 사제들도 그렇습니다.

지금 전쟁의 위기를 겪는 대한민국도 마찬가지입니다. 이 땅의 부자들과 권력자들이 여전히 부동산 투기와 서민 착취를 계속한다면 반드시 전쟁이 일어나고 모든 것을 빼앗기게 하시는 분은 하나님이십니다. 북한의 악한 정권도 사라지게 될 것이고, 이 세계에 의로운 정부를 세워주실 것입니다. 아리랑당 창추위가 해야 할 일이 바로 그것입니다.

48. 죄와 구원과 정치

예수님이 로마 시대에 유대 땅에 오셔서 정치를 행보를 안 하셨다고 보는 사람들이 많은데, 이는 결코 그렇지 않다는 것을 여러 번 말씀드렸습니다. 예수님은 죄의 문제를 해결하러 오셨지, 정치적 왕, 해방자가 되러 오신 것이 아니다고 말하는 신학자, 목회자들이 많은데 이는 전혀 오해입니다. 죄의 문제의 해결과 정치적 왕 혹은 해방자는 양립 불가한 것이 아님에도 불구하고 이를 자꾸 양립 불가한 것으로 만들어버림으로써 결국 소경된 우리를 낭떠러지로 인도한 소경이 바로 그들입니다.

예수님을 왕으로 세우려 한 일단의 무리들 앞에서 예수님께서 피해가신 일이 있으신데, 이를 두고서 예수님은 유대인의 왕으로서의 행보를 보이지 않으셨다고 평가하는데, 전혀 오해입니다. 예수님은 오히려 십자가를 앞에 두고서도 빌라도에게 자신은 유대인의 왕이라 말씀하셨습니다. 그럼 이런 오해들이 왜 생겨날까요? 거듭 이야기하지만, 예수님이 하나님이심을 알지 못하는 데서 오는 오해이며, 구약을 잘 이해하지 않는 데서 온 오류입니다.

예수님은 우리를 죄악에서 구원하시는 분이십니다. 그것이 바로 하나님의 정치라는 것을 이해해야 합니다.

시편 130편은 이에 대한 답을 주고 있습니다. 성전에 올라가는 노래라고 표제가 있는 시편입니다.

여호와여 내가 깊은 데서 주께 부르짖었나이다. 주여 내 소리를 들으시며 나의 간구하는 소리에 귀를 기울이소서 여호와여 주께서 죄악을 감찰하실 찐대 주여 누가 서리이까 그러나 사유하심이 주께 있음은 주를 경외케 하심이니이다 나 곧 내 영혼이 여호와를 기다리며 내가 그 말씀을 바라는 도다 파숫군이 아침을 기다림보다 내 영혼이 주를 더 기다리나니 참으로 파숫군의 아침을 기다림보다 더하도다 이스라엘아 여호와를 바랄찌어다 여호와께는 인자하심과 풍성한 구속이 있음이라 저가 이스라엘을 그 모든 죄악에서 구속하시리로다

위에서 마지막 절에 나오는 '저가 이스라엘을 그 모든 죄악에서 구속하시리로다' 는 구절을 잘 이해하면 죄와 정치가 어떤 관계가 있는지 알게 됩니다. 이스라엘이 망한 이유는 죄에 있었습니다. 서로 사랑하지 않는 죄, 하나님을 섬기지 않는 죄입니다. 그것이 로마의 치하로 그들을 몰고 갔습니다. 소돔과 고모라가 망했듯이.

예수님 당시의 유대는 소돔과 고모라보다 더 악했다고 예수님께서 말씀하셨습니다. 그런데 놀라운 것은 그들이 성전에서 제사를 드리는 등, 그들 나름의 신앙생활을 열심히 했다는 것입니다. 가인이 열심히 신앙생활을 했듯이. 그래서 예수님께서는 아벨의 피로부터 사가랴의 피까지

말씀하십니다. 가인은 열심히 제사 드린 사람입니다. 그러나 그는 그 동생에게 못된 짓을 많이 한 사람입니다. 바로 예수님 당시의 유대인들이 그런 자들이었습니다.

삼십 팔년 된 병자 앞에서 보이는 태도, 날 때부터 소경되었다가 고침 받는 사람 앞에서 보이는 태도는 완전히 가인의 태도입니다. 그런데 놀라운 것은 그들이 말끝마다 그들의 유전에 기반 한 신앙을 이야기한다는 점입니다. 오늘날 목회자들과 너무도 흡사합니다.

하나님은 언제나 유대인의 왕이셨습니다. 이 시편이 쓰여 진 구약 당시에도 유대인의 왕이셨고, 로마 시대에도 유대인의 왕이셨고, 만왕의 왕이셨습니다. 지금도 마찬가지입니다.

이스라엘이 망한 것은 그들의 죄악 때문이었습니다. 그래서 그들이 국가를 회복하기 위해선 그들의 죄악이 용서되어져야 했습니다. 예수님의 십자가는 이스라엘의 죄악을 용서하시기 위함이셨고, 온 인류의 죄악을 용서하시기 위한, 즉 그들 대신 돌아가신 희생이셨습니다. 자 이제 죄와 정치가 어떤 관계가 있는지 알게 되었습니까?

이스라엘의 죄악의 엑기스는 정치에서 나타났습니다. 어떤 사회도 그들의 정치에 그들의 악이 적나라하게 드러납니다. 정치는 법을 만들고, 법을 집행하고 그 사회의 모든 자산과 문화를 주도하기 때문입니다. 그래서 정치를 개혁하지 않고 그 사회의 죄악을 개선할 수는 없습니다. 하나님께서 구약 시대에 직접 내려 오셔서 통치하셨습니까? 그렇지 않으셨으니 하나님은 정치에 관심이 없으십니까? 창세기부터 사사기 열왕기서 역대기, 이사야서 등을 다시 읽어보기 바랍니다.

정치를 개혁하는 것은 우리의 몫이지 하나님께서 직접 하실 일이 아닙니다. 그런데 예수님을 핑계 삼아 이 일을 전혀 하지 않으려는 자들의 엉터리 신학이 이 세계를 이렇게 만들어 버렸습니다. 김세윤 박사의 '그리스도와 가이사'라는 책도 그래서 난센스입니다. 상황이 바뀌었으니 이제 정치에 관여해야 한다고 말하고 있는데, 그런 인식 속에서 복음과 상황이라는 잡지도 만들어졌습니다.

복음은 상황에 따라 다른 것이 아닙니다. 복음은 영원하며, 불변입니다. 김세윤 박사는 오히려 그 책의 이야기를 삼십년 전에 했어야 합니다. 기회주의적으로 이제야 그런 이야기를 하는 것은 가증스럽습니다. 그가 군부 철권 시절에 낸 구원론이라는 책에는 이 시편 기자의 구원론과 관련한 내용도 없고, 그리스도와 가이사에서 이야기하고 있는 내용도 없습니다. 그리고 그 강의에도 그런 것들을 이야기하지 않았습니다. 이런 사람들의 신학에 기반 한 전도 활동을 한 사람들이 ESF, CCC, 네비게이토 선교회 등입니다.

김세윤 박사가 놓치고 있는 것은 정의의 관점입니다. 하나님은 상황에 따라 휘둘리는 분이 아닙니다. 정의도 상황에 따라 바뀌지 않습니다. 정의는 어느 상황에서도 정의입니다. 그래서 예수님께서는 십자가에서 최악의 상황에서 돌아가신 것입니다. 우리가 이웃을 사랑하지 않은 죄, 하나님을 경외하지 않은 죄 값을 치르시면서.

김세윤 박사와 우리들은 불의의 시대에 불의함을 보고 그것이 불의하다고 외치지 않았습니다. 진정한 정치는 불의함에 대해 불의하다고 말하는 데서 시작됩니다.

사랑의 교회가 2천억 원을 들여 새성전을 짓는다고 합니다. 헤롯도 성전을 지었습니다. 그러나 그 시대가 바로 예수님을 잡아 죽인 시대였다는 것을 잘 알아야 합니다. 사랑의 교회가 이 시대의 근본적 불의, 강한 자들의 불의에 대해 지적하지 않으면서, 그 권리가 박탈당한 사람들을 구하는 일에 관심이 없으면서 이런 성전을 짓는 것은 가인의 제사와 같습니다. 고통 받는 약자들의 문제를 근본적으로 해결하기 위해 분투하지 않는 가인식의 신앙생활은 하나님과 아무런 상관이 없습니다. 그래서 아리랑당의 정치는 하나님이 기뻐하시는 금식이 되어야 하며, 거룩한 산 제사가 되어야 합니다.

49. 정치와 창조 : 세상은 왜 생성된 것인가?

정치는 그 근본적 물음에 대한 답을 기초로 시작될 수 있다. 정치 영역에서 중요한 경제나 교육 등도 우리의 존재 목적이 무엇이냐에 대한 인식에 따라 정책이 바뀔 수 있다. 그래서 이 답을 찾는 것이 정치의 근본이다.

그 중 한 가지가 이 세상이 왜 생성된 것이며, 존재의 이유는 무엇일까에 대한 답이다.

자연적 진화, 우연이라면 그저 우리도 맘 내키는 대로 우연에 몸을 맡기고, 내 하고 싶은 데로 살아가면 된다. 그야말로 약육강식에 따라 움직이면 된다. 생존 그 자체가 목표다. 이웃을 돌아볼 필요도 없고, 우주를 보살필 필요도 없다. 살아야 하고, 승리해야 하고, 정복해야 한다.

지금 우리 주변의 삶은 바로 이런 목표를 가진 자들에 의해 좌지우지되고 있다. 신자유주의라고 하는 것이 그런 것이다. 이러한 사상을 기반으로 한 정치가 우리를 둘러싸고 있다.

진화론에 기반 한 정치라 할 수 있다. 하지만, 정말 그런 것일까? 세상이 그렇게 진화된 것이며, 우연에 의해 만들어진 것이며, 우리라는 인간도 그렇게 생성된 것인가? 우리는 그렇게 보지 않는다. 신에 의해 창조되어진 세상으로 본다. 이렇게 복잡한 천체, 우리의 생물학적 특질이 우연으로 이루어지기엔 너무 정교하다.

그러면 하나님께서는 즉 조물주께서는 왜 이 세상을 만드신 것일까? 이에 대한 답을 할 수 있지 않고서는 정치를 할 수 없다. 만약 하나님께서, 조물주께서 세상을 창조하신 것이라면 그 분이 이 세상이 어떻게 정치되어야 하는지, 즉 어떻게 다스려져야 하는지에 대한 생각이 있을 것이고, 그 생각을 알아야 하고, 그에 맞추는 것이 가장 합리적일 것이기 때문이다.

왜 하나님은 이 세상을 만드신 것일까? 성경을 근거로 따져본다면, 사랑이 그 답이지 않을까 싶다. 즉 창조의 목적은 사랑에 있다. 그러면 하나님은 어떻게 존재하시게 되었을까? 이 복잡한 세상이 창조된 것이라면 이보다 더욱더 정교한 하나님은 어떻게 존재하시게 되었을까?

50. 정치와 죽음: 우리는 왜 죽는 것이고, 그 뒤엔 무엇이

정치와 죽음은 떼려야 뗄 수 없는 관계다. 정치는 이생에 관한 것 같지만, 죽음도 인생의 문제이며, 이생 문제의 끝이기도 하기 때문에 죽음에 대한 이해가 정치의 근본 인식 중 하나다.

여기서도 진화론적 입장이라면, 약육강식에 따라 죽음이 자연스럽게 받아들여져야 하고, 또 살인도 문제가 되지 않는다. 오직 강자만이 살아남는 것이 진리이기 때문이다.

  그러나 만약 그렇지 않고 죽음 뒤에 다른 세계가 존재한다면 우리의 정치는 완전히 달라져야 한다. 죽음 뒤의 세계를 대비하게 하는 것이 정치의 한 목적이 되어야 한다. 이 땅에서 7-80년을 살다 가는데, 만약 성경에서 말씀하신대로 사후에 심판을 받게 된다면 우리의 정치는 이 땅의 삶을 사후와 연결시켜주는 작업을 해야만 한다.

51. 성령 충만과 정치

  영적인 사람과 육적인 사람에 대해 이야기한다. 그런데 영은 무엇이고, 영적인 것은 무엇인가?

하나님은 영이시고, 성령님도 영이시고, 하나님의 형상을 따라 지음을 받았으니까 사람에게도 영이 있다. 그러므로 하나님과 같은 상태에 있는 사람이 영적인 상태에 있다고 볼 수 있다. 따라서 하나님을 알아야 하고, 하나님의 모습으로 살아가는 것이 영적인 상태임을 알 수 있다.

하나님과 항상 동행하는 삶이 영적이다. 그러면 밥을 먹는 것은 영적이지 못하고 육적인 것인가? 바로 이런 점들이 주의해서 생각해보아야 할 것들이다.

  밥은 어떤 것인가? 하나님께서 밥을 먹도록 만드셨다. 그러니 이 일도 당연히 영적인 것이다. 그래서 예수님은 그토록 많이 밥 먹는 일을 보여주셨다. 우리의 육체도 하나님께서 만들어주셨다. 그러므로 육체의 필요를 채우는 일이 영적인 일이다. 이 육체는 영을 담고 있는 그릇이다. 육체가 더러우면 영도 오염된다.

그러나 같은 밥도 어떤 목적이냐에 따라 영적이지 못한 상태로 변이된다. 탐식한다면 이는 육체를 해롭게 하는 것이다. 그러면 왜 탐식할까? 정신, 영이 오염되어서 판단력을 상실한 상태이다. 이 상태가 육체와 결합하여서 육체를 해롭게 하는 것이다. 그래서 마약도 하고, 술도 마시고, 담배도 핀다. 영적인 것의 반대는 육적인 것이 아니다. 영적인 것의 반대는 사탄적인 것, 하나님을 대적하는 것이다.

예수님은 병자들을 고쳐주셨다. 의료 행위는 영적인 행위다. 그런데 돈을 벌기 위해 환자를 고치며, 환자를 이익의 도구로 삼으면 이는 영적이지 못한 행위다.

돈을 버는 것도 영적일 수 있다. 사회에 이바지하는 노동을 통해 생활 수단을 확보하는 것은 영적인 일이다. 그런데 이를 지나쳐 사회에 해악을 끼치는 수단을 통해 돈을 벌고, 그 돈으로 또 탐욕에 쓴다면 이는 사탄적인 것이다.

영적이다는 것의 핵심은 하나님的이며, 사랑이다. 믿음이다. 소망이다. 믿음과 소망과 사랑이 있는 사람이 영적이며, 특히 사랑이 있어야 한다. 사랑은 말만이 아니라, 행위로 나타난다. 그래서 사랑이 없는 사람은 영적이지 못하다.

강도 만난 사람을 지나쳐간 레위인과 제사장은 성전을 향하여 가고 있을지라도 이들은 영적이지 못하다. 예수님께서 38년 된 병자를 안식일에 고치신 일은 영적인 행위다. 그런데 이를 안식일에 행했다고 비난하면서 싫어한 사람들은 영적이지 못하다. 사랑이 없기 때문이다. 안식일의 의미를 이해하지 못하였다. 깨달음이 없이는 영적일 수 없다. 그래서 말씀과 기도에 전무하겠다고 베드로 사도가 말씀했다.

말씀은 방향키며, 판단력이다. 모든 행함의 근저에 깨달음이 있다. 잘못 깨달으면 잘못 행동한다. 지금 우리의 잘못의 많은 이유가 잘못된 깨달음에 있다. 그러나 때로는 깨달았어도 행하지 않는 경우가 있다. 읽고, 묵상하고, 행동하는 것. 이것이 우리의 일상이 되어야 한다.

그럼 기도는 무엇인가? 기도하지 않는 사람은 영적일 수 없다. 영적인 사람은 기도하게 되어 있다. 기도는 하나님과 통하는 길이기 때문이다. 하나님을 떠난 사람은 영적일 수 없다.

그러나 기도드린다는 것이 영적인 것을 보장하지는 않는다. 반드시 기도드려야 하지만, 그 기도를 올바로 드려야 한다는 것이다. 그래서 예수님께서는 기도를 가르쳐주셨다. 주기도문을 잘 묵상해보면 기도가 무엇인지 알게 된다.

기도는 하나님을 위한 것이며, 하나님 나라를 위한 것이며, 이웃을 사랑하는 것이며, 이웃을 위하는 것이며, 우리를 거룩하게 하는 것이며, 사탄과 싸우는 힘이며, 하나님의 능력을 공급받는 요청이다. 기도는 하나님의 말씀을 이해하지 못하면 제대로 드리기 어렵다. 그래서 말씀을 먼저 묵상해야 한다. 묵상하면서 기도드려야 하고, 기도드리면서 묵상해야 한다.

베드로는 구제에 힘쓰다가 교회가 어려워지는 것을 보면서 말씀과 기도에 전무하겠다고 하고, 일곱 집사를 세웠다. 말씀과 기도는 선장의 일이다. 또 모든 사람의 일이다.

선장이 갑판 닦는 일, 배식하는 일에 일일이 참견한다면 배 전체의 나아갈 방향 등을 놓치게 되고, 그 배는 큰 위험에 처하게 된다. 그래서 베드로는 자신의 일이 선장의 일이었다는 것을 깨닫고 그 일로 돌아가고

자 한 것이다. 구제가 중요하지 못한 것이 아니라, 그 일은 일곱 집사를 세워서 할 일이었던 것이다.

그래서 지도자가 될수록 말씀과 기도에 전무해야 한다.

교회나 예배가 무조건 영적인 것이 되는 것은 아니다. 교회나 예배는 영적인 것의 필수적 요소이다. 교회나 예배가 말씀을 따라, 하나님의 뜻을 따라 움직이지 않으면 영적일 수 없다. 그래서 성경에 대회로 모이는 것을 하나님께서 싫어하신다고 하셨다. 그 모임의 목적, 내용이 하나님을 힘들게 하는 것이기 때문이다.

모여야 하고, 기도드려야 한다. 그런데 그 목적, 내용이 제대로 되어야 한다. 그래서 하나님께선 이스라엘의 기도를 듣기 싫어하신다고 이사야 선지자를 통해 말씀하셨다. 그들이 피를 손에 가득 담은 상태에서 기도드린다고 하셨다. 이웃을 착취한 피가 그 손에 가득한 상태로 기도드렸기 때문이다.

정치는 영적인 것일 수도, 사탄적인 것일 수도 있다. 정치도 필수다. 어떻게 정치하느냐, 어떤 목적으로 정치하느냐가 중요하다. 먹든지 마시든지, 무엇을 하든지 하나님을 위하여 하면 영적인 것이고, 사탄을 위하여 탐욕을 위하여 하면 사탄적인 것이다.

영적인 것의 반대는 사탄적인 것이다. 육적인 것의 반대도 사탄적인 것이다. 육은 무익하다고 하신 말씀의 육은 우리의 육체를 가리키는 것이 아니고, 탐욕을 의미한다.

영적인 사람은 하나님을 사랑하고, 이웃을 사랑하며, 믿음을 가지고 소망 가운데 살아가는 사람이다. 사랑은 어려운 것이다. 지식이 없이는 사랑할 수 없다. 자식을 키우는 것도 지식이 없이는 불가하다. 그래서 무식한 것은 사랑이 없는 것이다. 자식을 키우는 데 많은 지식이 필요하다. 의료적 지식, 식품에 관한 지식 등등.

　자식을 키우는 어머니들은 그 지식을 자신의 어머니로부터 배운다. 이 지식이 없이는 아기를 위험에 빠뜨린다. 아기를 둘러싼 환경은 다양하다. 그 집안 환경도 있겠지만, 대기 오염에 이르기까지, 또는 그 사회적 환경도 문제가 된다. 맹모삼천도 이를 잘 보여준다. 그래서 어머니의 지식은 복합적이고, 구조적이며, 미시적이고 동시에 거시적이다.

　한나나 마리아가 아기를 잉태하고 노래한 시들을 보면 이런 점이 잘 드러난다. 영적인 사람이 지혜로운 이유다. 지식을 꾸준히 습득하는 사람이 영적인 사람이다. 이 지식에는 당연히 말씀에 관한 지식, 하나님에 관한 지식, 우주에 관한 지식, 인류에 관한 지식, 사회에 관한 지식, 우리의 육체에 관한 지식 등 하나님과 관련한 모든 분야에 관하여 광범위하다. 여호와는 지식의 하나님이시다고 한나는 노래하고 있다.(사무엘상 2장 3절中)

　영적인 사람은 건강하다. 영적인 사람은 균형 잡힌 삶을 산다. 모든 점에서 균형을 이루고 있고, 조화로운 삶을 살고 있다. 영적인 사람은 경건의 연습과 육체의 연습을 하고 있다. 영적인 사람은 정치 지향적이다. 정치는 우리 삶의 모든 부분에 연관되어 있기 때문이다. 권력을 탐하는 것이 아닌, 권력을 올바로 쓰기 위함이다.

영적인 사람은 현숙하거나 훌륭한 배우자를 만나 결혼한다. 그리고 희락을 누리며 행복한 결혼 생활을 한다. 현숙한 아내를 얻는 것은 하나님께서 주셔야 가능한 복이다. 반대로 훌륭한 남편을 만나는 것도 그렇다. 결혼을 통해 누리는 희락과 쾌락도 영적이다. 그래서 예수님은 천국을 혼인과 비유하신다.

때론 결혼하지 않을 수도 있고, 또 호세아처럼 잘못된 배우자를 만나서 결혼했을 수도 있다. 솔로몬은 영적이지 않을 때 잘못된 결혼을 했고, 그 결혼을 통해 더욱더 영적이지 못하게 된다.

에스라서에 보면, 귀환한 이스라엘이 또다시 이방 여인들과 결혼하게 되고, 에스라의 분노를 자아낸다. 결혼 자체가 영적이다 아니다 할 수 있는 것이 아니고, 영적인 사람과 결혼하는 것이 영적인 결혼이다.

영적인 사람은 사회 문제에 관심이 많고, 정의를 위해 헌신한다. 영적인 사람은 환경 문제에 민감하다. 영적인 사람은 주변의 불의에 분노한다. 그러면 구체적으로 영적인 사람을 찾아보자. 그러면 그 모습이 더욱 분명해진다.

타락 전의 아담과 하와.

하나님께 제사 드리며, 선하게 살던 아벨.

믿음으로 방주를 짓던 노아.(술을 마시고 취해 누운 노아는 영적이지 못하다)

이스라엘 정탐꾼을 숨겨준 기생 라합

시어머니를 위해 이삭을 줍던 룻

성전에서 봉사하던 사무엘

하나님을 위해 골리앗과 싸운 다윗

일천번제를 드리던 솔로몬(이후 이방 신을 섬긴 솔로몬은 영적이지 못하다)

엘리야 엘리사 이사야 말라기 등등 수많은 선지자

성전에서 예수님의 탄생을 학수고대하며 기도드리던 분

고기 잡던 어부 베드로(베드로는 성령 받은 이후에도 영적이지 못한 행동을 했다. 이방인과 식사하다 유대인들이 왔을 때 보인 행동)

평생 독신으로 살면서 복음을 전한 사도 바울(그는 원래 예수님 믿는 자들을 잡아 죽이러 다니던 영적이지 못한 사람이었다)

자주 장사 루아디라

하던 일, 직업, 신분, 성별, 결혼 여부와 상관없다는 것을 알게 된다. 또 같은 사람도 영적일 때와 그렇지 못할 때가 있었음을 알게 된다. 성령 충만한 상태, 이 상태가 영적이라고 할 수 있다. 성령 충만을 구해야 한다. 예수님께서도 성령 충만함을 구하라 하셨다. 하나님을 믿는 사람은 누구나 성령을 받는다. 그러나 충만의 상태는 각각 다를 수 있다. 그래서 구해야 하고, 노력해야 하고, 은총을 입어야 한다.

정치는 영적인 영역이다. 사람들의 정신을 좌지우지하는 영역이며, 밥의 영역인데, 예수님께서 얼마나 밥, 병을 중시 여기셨는지를 보면 잘 알 수 있다. 성령 충만한 사람은 정치에 적극 참여한다. 그런데 그 참여는 선지자로서 이루어질 수도 있고, 왕으로서 이루어질 수도 있다.

52. 정치적 십일조, 하나님의 정치와 사람의 정치

세금을 내는 것만으로 정치적 의무를 다했다고 생각하면 안 된다. 정치는 돈만으로 이뤄지지 않는다. 우리가 낸 세금을 악한 탐권자들이 자신들의 이익을 위해 쓴다. 그래서 국민들은 항상 힘들어진다. 이 탐권자들은 제도도 자신들을 위해 만든다. 영구 집권을 위해 모든 것들을 자기중심적으로 만들어간다. 이들과 싸우기 위해 우리는 정치적 십일조를 해야 한다. 나의 생업을 위해 쓰는 시간의 십분의 일을 정치 참여에 써야 한다. 시간과 마음과 정성과 돈을 써야 한다.

정치적 모임과 정당에 참여해야 하고, 나든지 내 옆의 사람이든지 선거에 후보로 출마시켜야 한다. 열 사람 중에 한 사람은 출마시켜야 한다. 이것이 정치적 십일조다. 무엇을 마실까 무엇을 먹을까를 염려하기 전에 먼저 하나님의 나라와 하나님의 의를 구해야 한다. 하나님의 정치에 먼저 신경 쓰라는 말씀이시다.

하나님의 정치는 하나님을 경외하는 일이며, 공의로 다스리는 일이다. 자크 엘룰은 하나님의 정치와 사람의 정치를 구별했다. 그러나 그의 구별은 탁월치 못하다. 이는 구별될 수 있는 것이 아니다.

하나님의 정치는 사람의 정치이고, 사람의 정치는 하나님의 정치이다. 지극히 작은 자 하나에게 한 것이 하나님께 해드린 것이다. 예수님은 하나님의 정치와 사람의 정치가 어떻게 하나인가를 말씀해주셨다. 가난한 자를 불쌍히 여기고 그에게 꾸어주는 것은 하나님께 꾸어드리는 것이라는 잠언 말씀도 있다.

53. 정치와 종교의 분리, 정의

이것이 진정 의미하는 바는 정치권력을 가진 자가 종교 권력을 겸해선 안 된다는 점이다. 정치와 종교는 모두 정의의 영역에 있다. 그들의 목적은 정의다. 지향하는 바가 정의다. 다만 수단이 다를 뿐이다. 그러므로 정치와 종교는 다른 것이면서 또 겹치는 부분이 많다. 그래서 정치와 종교의 분리는 어려운 개념이다. 그런데 이 어려운 개념을 반대로 교묘하게 이용하는 자들이 있는데 이들이 바로 악한 정치 세력과 악한 종교 세력이다. 그리고 어리석은, 즉 지식을 따르지 않는 그러면서 따져보고 믿지 않는 많은 대중들이 그들의 선동에 의해 속임 당한다.

이들은 정치와 종교의 분리를 이야기하면서 결코 상대 영역의 불의를 비판하지 않는다. 그리고 각자로부터 나오는 이익물에 집착한다. 그 이익물이 깨질 정도가 되면 결국 서로 싸우게 된다.

정치는 세속 권력과 세금으로, 종교는 영적 권력과 헌금으로부터 이익을 얻게 되며, 서로는 이익을 인정해주고 간섭하지 않는다. 그리고 양자는 겉으로는 분리를 주장하지만, 속으로는 철저히 야합해 있는 상태다. 그래서 이들은 국가조찬기도회도 열고, 지역 기관장과 목회자들의 모임도 유지한다. 기도 시간마다 국가와 민족을 위해 기도하면서, 국가 지도자를 위해서 기도하면서, 그들의 잘못은 비판하지 않는다. 이는 결국 현재의 정치 지도자에 대한 지지가 된다. 결국 교회가 설교를 통해, 기도를 통해 현 정치 세력을 지지한 결과가 된다. 그러니 교회가 결국은 정치 행위를 한 것이다.

그런데 이들이 거품을 물고 정치권력과 싸울 때가 있다. 노무현 대통령 때 이런 일이 있었다. 사학법이나 여러 가지로 교회 권력의 이익을 침해하자 이들은 대통령을 직접 공격했다. 정권을 공격했다.

정치적 진공 상태는 이 우주에 존재하지 않는다. 마찬가지로 종교적 진공 상태도 이 우주에 존재하지 않는다. 그러므로 정치와 종교는 끊임없이 교환되고 영향을 미치며, 상호 작용하며 이익을 나눠가진다.

그러므로 종교가 정치에 관여하지 않아야 한다고 말하는 자들의 발언 또한 정치적이다. 이들이 목표하는 바는 현존의 정치권력과 종교 권력을 유지하는 데 있다.

정치 권력자가 종교 권력자의 지위를 겸해선 안 된다. 그러나 다루는 영역이 정의라는 관점에서 동일하기 때문에 끊임없이 서로에 대해 이야기해야 한다. 어떤 정치 지도자가 종교 권력을 비판하는 것을 보았는가? 반대도 마찬가지다. 그러나 이들도 자기 이익이 극도로 침해받으면 결국 상대와 싸운다. 교인들을 동원한다. 하지만 이 상태가 되기 전에는 철저히 상대를 인정해준다. 그러므로 우리에게 중요한 것은 양 권력의 동시 독점이 아닌 상태로, 양측을 모두 개혁하는 것이다.

정의는 양측 모두에 관련되기 때문에 양자의 개혁이 동시에 수행되지 않고서는 사회 개혁은 불가하다. 아리랑당이 정치와 종교 개혁을 동시에 수행해야 하는 이유다. 이들의 야합을 깨고, 그 아가리에서 모든 것을 수탈당하고 있는 서민들을 구해내야 한다.

정치인들은 세금으로, 종교인들은 헌금으로 서민들을 공동 착취하고 있다. 세금도 내야하고, 헌금도 내야 한다. 그러나 그것이 잘못 사용되어지기에 이를 개혁해야 한다. 그 세금과 헌금이 서민들을 착취하는 일에 쓰이기 때문에 우리는 싸워야 한다.

지금 이 땅에는 다양한 교회 형태가 있다. 철저히 겉으로는 정치에 관여하지 않는다고 하면서 속으로는 현 정권을 그 부당함에도 불구하고 지지하는 방식이 있다. 종교적 행위에 집착하면서 그것만이 선교 방식이고, 교회에 합당하다고 말하는 교회들이다. 온누리교회, 소망교회, 순복음 교회 등이다. 이들은 예배와 찬양을 강조한다. 말씀은 전하고 싶은 데만 축소해서 전한다. 예장 합동이나 한기총에 속한 교회들이 많다.

또 반대로 불의한 정치권력에 저항하는 교회도 있다. 정의를 논한다. 그런데 술에 취하고 예배와 찬양을 등한히 한다. 말씀도 중시하지 않는다. 일부 기장 쪽에 이런 교회가 있다.

그 다음 이단 교회들이다. 정치에도 무관심, 정의에도 무관심, 말씀도 자기들 필요한 것만 전한다. 기존 교단과도 배치된다.

이제 마지막 형태의 교회들이 있다. 말씀 중심이면서, 정의를 위해 나아가는 교회들이다. 교회개혁실천연대 소속 교회들 중에 이런 교회들이 있다. 그런데 이들 교회 중에도 아직 정치와 종교의 관계를 정확히 개념 정리하지 못하는 데들이 있다.

예수님은 정치권력과 종교 권력의 합작에 의해 십자가에서 돌아가셨다. 이들이 공조한 이유는 이들 모두 예수님으로부터 공격당했기 때문이다. 정의의 영역에서 공격당했다. 그래서 평소에 사이가 좋지 않았음에도 불구하고 이들은 힘을 합쳐서 예수님을 잡아 죽이게 된다.

그러나 하나님은 결국엔 승자가 되신다. 정의의 승자이시다. 정치 영역과 종교 영역 모두에서 정의의 승자가 되신다. 하나님은 정치 영역과 종교 영역을 모두 주관하신다. 하나님이 종교 영역만의 주관자라고 생각하게 하는 것은 타락한 세속 권력과 타락한 종교 권력의 속임수다.

하나님의 나라와 하나님의 의는 정치와 종교에 관한 답이다.

공의로 다스리는 자, 하나님을 경외함으로 다스리는 자는 돋는 해 아침 빛 같다는 다윗 왕의 말씀은 어떻게 정치와 종교가 하나님 안에서 동시에 수행되어져야 하고 분리되는지에 대한 해답이다

54. 하나님과 국가의 흥망성쇠

이 세상에 수많은 국가와 민족이 있었다 사라지고 남는다. 그런데 여기에 한 원칙이 존재하고 있음을 예레미야 선지자는 하나님의 말씀을 통해

서 보여주신다.

"내가 언제든지 어느 민족이나 국가를 뽑거나 파하거나 멸하리라 한다고 하자

만일 나의 말한 그 민족이 그 악에서 돌이키면 내가 그에게 내리기로 생각하였던 재앙에 대하여 뜻을 돌이키겠고

내가 언제든지 어느 민족이나 국가를 건설하거나 심으리라 한다고 하자

만일 그들이 나 보기에 악한 것을 행하여 내 목소리를 청종치 아니하면 내가 그에게 유익케 하리라 한 선에 대하여 뜻을 돌이키리라

그러므로 이제 너는 유다 사람들과 예루살렘 거민들에게 말하여 이르기를 여호와의 말씀에 보라 내가 너희에게 재앙을 내리며 계책을 베풀어 너희를 치려하노니 너희는 각기 악한 길에서 돌이키며 너희 길과 행위를 선하게 하라 하셨다 하라

그러나 그들이 말하기를 이는 헛된 말이라 우리는 우리의 도모대로 행하며 우리는 각기 악한 마음의 강팍한대로 행하리라 하느니라"(예레미야 18:7-12)

결국 이 원칙에 따라 북이스라엘도 남유다도 망했습니다. 우리나라도 마찬가지다. 그래서 정당은 그 국가가 하나님 보시기에 선한 길로 가는 일을 하는 데 최선을 다해야 한다. 이런 점에서 본다면 모든 국가는 기독 국가가 되어야 하며, 모든 정당이 기독 정당이 되어야 함을 알 수 있다. 또한 이를 실제적으로 어떻게 수행해낼 수 있는가 하는 점도 중요하다.

교회라고 다 하나님의 교회가 아니고, 교인이라고 다 하나님의 사람이 아니다. 이스라엘이 아브라함의 후손이라고 자랑했지만, 실은 그들은

그 내면에 있어서 그런 사람들이 아니었다. 그래서 망했다.

55. 지구 교도소 정치론-기독정치론

 죄인의 괴수인 제가 또는 우리가 정치를 해야 하는 이유입니다. 지구교
도소 정치론- 기독정치론입니다. 사무엘하 23장 3-4절에 다음과 같은
말씀이 있습니다. 다윗의 말씀입니다.

 '이스라엘의 하나님이 말씀하시며 이스라엘의 바위가 내게 이르시기를
사람을 공의로 다스리는 자, 하나님을 경외함으로 다스리는 자여
 저는 돋는 해 아침 빛 같고 구름 없는 아침 같고 비후의 광선으로 땅에서
움이 돋는 새 풀 같으니라 하시도다'

 이 말씀은 왕들, 정치가들에 대한 말씀이기도 하며 궁극적으로는 예수
님에 대한 것입니다. 예수님은 다음과 같은 기도를 하신 적이 있으십니
다. 자신을 만민을 다스리는 권세를 가진 이로 표현하고 계십니다.

 아버지께서 아들에게 주신 모든 자에게 영생을 주게 하시려고 만민을
다스리는 권세를 아들에게 주셨음이로소이다.(요한복음17장 2절)
예수님은 스스로를 왕이라고 하셨습니다.

빌라도의 물음에

 "네 말과 같이 내가 왕이니라 내가 이를 위하여 났으며 이를 위하여
세상에 왔나니 곧 진리에 대하여 증거 하려 함이로라 무릇 진리에 속한
자는 내 소리를 듣느니라"라고 대답하셨습니다.(요한복음18장 37절 후반)

 공의로 다스림과 하나님 경외는 한 몸입니다.

 예수님은 복음서를 통해 보면 수없이 하나님에 대하여 말씀하십니다.

요한복음 10장 29절에서는 '아버지와 나는 하나이니라'라고 말씀하십니다.

예수님은 성경은 폐하지 못한다고 하셨습니다.(요한복음 10장 35절) 예수님은 창세전부터 아버지께서 자기를 사랑하셨다고 말씀하십니다. (요17:24)

기독교를 종교라 합니다. 그러나 종교라는 것이 무엇입니까? 인간이 자발적으로 만들어 신적 존재를 섬기는 것을 종교라고 한다면, -보통은 세계사 책에는 그렇게 씌어 있습니다. - 우리는 종교 활동을 하는 신앙인인가요?

저는 기독교가 그런 종교였다면 믿지 않았을 것입니다. 진리가 아닌 것에 목숨을 걸고 쫓아다닐 바에야 차라리 나를 믿고 살았을 것입니다. 하나님은 실존하시고 예수님은 하나님이십니다. 하나님은 세상을 창조하셨고 지금도 만유의 주인이십니다.

예수님은 종교적 신이 아니라 진리이십니다. 그분의 아버지는 유일하신 하나님이십니다.(요한복음 5장 44절) 불교도 종교고 이슬람교도 종교고 예수님을 믿는 것도 종교라면 예수님은 거짓말쟁이 이십니다.

그런데 예수님을 믿는다 하면서도 교회에 다니면서도 예수님을 부처나 마호멧 정도로 생각하는 사람들이 많습니다. 이해가 되지 않습니다. 분명 예수님은 거짓이든지 참이든지 둘 중 하나입니다. 스스로 명제 가운데 두셨으니 그럴 수밖에 없습니다.

착하게 살아라 하는 말씀만 하셨다면 명제가 아닐 것입니다. 그러나 예수님은 자신의 신원에 대하여 분명히 말씀하셨습니다. 유일하신 하나님의 아들이라고 하셨습니다. 또 아버지와 하나라고 하셨습니다. 자기는 길이요 진리요 생명이라고 하셨습니다. 아버지께로 가는 다른 길이 없다고 하셨습니다.

그런데 이런 말씀들을 본 사람들이 다른 종교와 예수님을 믿는 것을 같은 반열에 둔다는 것은 논리적으로도 맞지 않습니다.

우리는 그래서 종교인이 아닙니다. 실제 살아 계신 하나님을 추종하는 사람일 뿐입니다. 다른 사람들이 우리를 향하여 기독교인이라고 명칭을 붙이건 말건 그것은 우리와 상관이 없습니다.

진리를 알지 못하는 사람들이 어찌 예수님의 말씀을 깨달을 수 있겠습니까?(요8장 43절)

우리는 실제 상황에서 하나님을 믿고 따르고 있습니다. 종교적으로 믿고 따르는 것이 아니라 만유의 주관자를 따르는 것입니다.

대한민국의 법이 우리에게 효력을 미치듯이 하나님의 법이 우리에게 효력을 미치고 있으며 우리의 모든 것이 하나님의 손을 벗어날 수 없습니다. 그러니 우리는 하나님이 하라고 하신대로 행하려 노력할 뿐입니다.

공평과 정의의 최대 요소는 무엇이겠습니까?

하나님과 사람 사이에 공평하고 정의로운 관계가 성립되어야 합니다. 하나님은 우리를 창조하셨고 우리에게 필요한 모든 것을 주고 계심에도 불구하고 사람들은 하나님을 영화롭게도 아니하고 감사치도 아니합니다. 심지어 자칭 기독교인이라고 하는 종교인들조차 사람들 앞에서 하나님을 높이지 않습니다. 선행을 할 수는 있어도 하나님을 그들 앞에서 선포하고 찬양하지는 않습니다.

예수님이 이 땅에 오신 것이 선행만을 위해서 오신 것입니까? 예수님은 끊임없이 하나님에 대해 말씀하셨고 자신과 하나님의 관계에 대해서 말씀하셨습니다. 이것이 가장 중요한 선행이셨습니다. 가난한 사람들의 문제를 풀어주시는 것, 병든 자를 고쳐주시는 것도 중요했지만 가장 시급하고 중요한 선행을 하나님의 이름을 거룩히 여김을 받으시게 하는 것이었습니다.

그래서 주기도문의 첫 구절은 하나님의 이름을 부르는 것이었으며, 두 번째 구절은 이름이 거룩히 여김을 받으시라는 것이었습니다.

하나님과 사람 사이의 공평과 정의 없이 사람과 사람 사이의 공평과 정의는 있을 수 없습니다. 이 점에서 예수님은 도덕가가 아니셨습니다. 우리는 도덕가가 아닙니다. 우리는 죄인이었습니다. 아직도 죄 가운데 거하는 부분들이 너무나 많습니다.

그러나 이 모든 죄에서 해방시키실 분은 사도 바울의 고백처럼 예수님밖에 없습니다. 인간의 모든 죄로부터 해방시키시고 하나님처럼 살게 만들어주실 분은 예수님밖에 없으십니다.

공의의 출발은 하나님 경외입니다. 다윗은 이것을 알았습니다.

인간 세계가 공의롭지 못한 것은 하나님 경외가 없기 때문입니다. 하나님과 사람 사이의 공평의 문제, 정의의 문제가 해결되지 않고서 사람 사이의 공의의 문제가 해결된다고 하는 것은 진리를 이해하지 못한 것입니다.

우리는 사람들의 탄식 소리를 들었습니다. 약한 자들의 외침을 들었습니다. 이것을 사람들만의 문제에서 연유한 것으로 보았습니다. 그래서 그렇게 문제를 풀려고 했습니다. 하지만 예수님은 그렇지 않다고 말씀하셨습니다. 우리가 아버지께로 돌아가지 않는 한 이 세상의 공의는 결코 이루어질 수 없습니다.

아버지를 경외하는 자는 공의로 세상을 다스리게 됩니다. 아버지를 경외하지 않는 자는 불의로 세상을 다스리게 됩니다. 자신이 이미 불의한데 그가 세상을 다스리는 것은 아버지를 버린 불효자가 다른 사람들에게 가서 착한 일을 하는 것과 비슷합니다.

자신의 아버지에게 효도를 하지 않으면서, 그 아버지를 아버지로 알지도 않으면서 무시하면서 자기 홀로 이 땅에 나온 사람처럼 생각하면서, 불쌍한 사람을 돕고 있는 것과 같습니다.

석가는 그래서 죄인입니다. 공자도 죄인일 뿐입니다. 그들의 선행이 그들의 악행을 보상하지는 못합니다. 아담의 범죄의 유전형질로부터 자유로운 사람은 아무도 없습니다.

우리는 죄인이었습니다. 그러나 하나님께 돌아왔습니다. 하지만 아직도 죄인의 괴수인 점들이 있습니다. 죄와 끊임없이 싸워야 합니다. 피흘리기까지 싸워야 합니다. 사도 바울처럼. 사람들을 하나님께로 이끌어야 하고 그 사람들에게 하나님이 말씀하신 것을 가르쳐야 합니다.

이러한 것 중에 우리는 정치 영역을 택했습니다. 우리는 오로지 정치만을 하는 사람이 아닙니다. 우리의 목적은 하나님께로 사람들을 이끄는 것, 즉 전도입니다. 그 전도의 방편으로 정치를 택했을 뿐입니다. 정치 자체가 목적이 아닙니다. 마치 우리의 길을 가는 중에 강도당한 사람을 만나 그를 구해주고 치료해주고 도와주는 일을 하는 것에 불과한 행위를 하고 있습니다.

지금 이 세상에는 강도들이 많습니다. 특히 정치 영역에 강도들이 많습니다. 이 강도들 때문에 약한 여행자들, 이 세상을 잠깐 여행하고 돌아가는 사람들이 수없이 많이 피를 흘리고 죽어가고 있습니다. 그들의 자녀들도 대를 이어 그렇게 되고 있습니다.

우리는 그 강도들을 보았습니다. 다만 강도 만난 사람을 도와주는 것을 넘어 그 강도들을 잡기로 작정하였습니다. 우리는 복음을 전하는 것이 사명인 사마리아인들입니다. 우리도 죄인일 뿐입니다. 우리가 의로워서 강도를 잡으려는 것이 아니라 그 여행객들이 불쌍해서 강도들을 잡으려는 것뿐입니다.

우리의 정치는 거창한 것이 아닙니다. 단지 그 정도 수준입니다. 그러나 이 일을 하는 것마저도 우리는 얼마나 작은 사람들인가를 절감합니다. 강도 만난 사람에게 지급해야 할 돈, 치료 방법을 찾기 위해 노력하고 있습니다. 더 나아가서는 아예 그 길에 강도들이 다시는 나올 수 없도록 근본적 구조 조정을 하려 합니다. 강도 행각을 벌일 사람들이 나오지 않도록 하는데 그들이 하나님을 알도록 해주고 하나님을 섬기도록 해주고 정당히 노동하고 살 수 있도록 해주며, 오히려 그 노동을 통해 다른 사람들에게 봉사할 기회를 갖도록 하겠습니다.

또 혹 그런 유혹이 생기는 사람이 있더라도 그러지 못하도록 그 길을 환하게 만들고 경비 병력을 세우고 누구나 안전하게 다닐 수 있는 곳으로 만들 방도를 찾겠습니다. 그리고 그 사람이 깨어나면 우리는 분명히 말할 것입니다. 하나님께서 도와주셨다고. 그리고 그 사람과 같은 사람들이 다시는 발생하지 않도록 해주기 위해 노력하고 있다고. 우리가 죽고서도 그 길은 안전한 길이 될 수 있도록 노력하고 있다고. 또 전 세계의 모든 길에서 그런 일이 일어나지 않도록 노력하겠다고요.

우리는 내 갈 길도 바쁜 사람들입니다. 우리 자신의 짐 지기에도 벅찬 사람들입니다. 우리는 약하고 가난하고 지혜가 없는 사람들입니다.

그러나 우리의 가진 조그만 것이 강도 만난 사람에게 약간이라도 도움이 된다면 그를 위해 써지길 간절히 바랍니다. 우리도 원래는 강도였고 우리에게 희생당한 사람들이 많았습니다. 그들에게 갚기 위해서라도 우리는 그렇게 해야 합니다.

우리 주님을 만나지 않았으면 우리는 여전히 더 흉악한 강도가 되어 온갖 짓을 다했을 것입니다. 지금도 가끔 강도짓을 하긴 하지만 예전만큼은 아닙니다. 바로 반성하는 것이 바뀐 것입니다. 예전엔 반성이란 없었습니다. 예수님이 우리를 위해 목숨을 버리신 것처럼 우리도 버리운 사람들, 도움의 손길을 간절히 기다리고 있는 사람들, 우리에게 희생당한 사람들의 후손과 이웃에게 우리의 것을 나누길 원합니다. 그 모든 행보 가운데 예수님과 함께 하길 원합니다. 우리 스스로는 아무 것도 할 수 없음을 알기 때문입니다.

그래서 우리는 기도합니다. 우리는 성령님의 도우심을 원합니다. 성령님의 충만함을 구합니다. 아버지의 능력을 구합니다. 아버지께 지혜를 달라고 구합니다. 치료 방법을 찾게 해달라고 아버지께 외칩니다. 이 땅과 이 세계에서 탄식하는 자들을 치료할 방법을 주시라고 외칩니다.

정책을 통해 치료할 것입니다. 때로 우리가 의사가 아니라고 우리를 그 치료 현장에서 배제할 수도 있습니다. 거짓 의사들이 나타나 삶을 위해 불량 의료 행위를 할 수 있습니다. 지금의 정치인들이 그런 사람들이라고 봅니다. 국민들은 그들에게 속고 있습니다. 그 의사들과 싸우면 사람들은 우리에게 너희도 삶을 노리고 그러느냐고 말할 수 있습니다.

기독교 패권주의라는 말로 우리를 매도할 수 있습니다.

그러나 무엇이 두렵겠습니까? 우리가 가만히 있어서 그런 욕을 먹지 않는 그 상황에서도 환자는 죽어나가고 있습니다. 그 시간을 너무도 오래 보내왔습니다. 그래서 이제 일어나는 것입니다. 우리도 한 때는 강도였습니다. 지금도 때로는 강도 행각을 하기도 할 것입니다. 우리는 어쩌면 교도소에 들어와 있는 전과자라고도 볼 수 있습니다.

그런데 교도소에 들어와 보니 전과 10범이 이제 들어온 초범자를 두들겨 패는 것을 보았습니다. 우리는 전과 5범쯤 되는데요. 지구 교도소에 태어나면서부터 이미 초범이 됩니다. 죄의 유전 형질 때문이죠. 그리고 이 교도소 안에서 또 수많은 죄를 저지릅니다. 그래서 계속 숫자가 올라갑니다. 그러던 중 우리 주님을 만났습니다. 이 분은 우리를 구하시려고 교도소에 오신 것입니다. 죄가 있어 들어오신 것이 아니셨습니다. 우리는 그분을 만났고 그분에게 우리를 맡겼습니다.

그리고 그 10범인 사람을 말렸습니다. 우리가 의로워서 말린 것이 아닙니다. 우리도 이미 낙인찍힌 사람들입니다. 그러나 아무리 낙인 찍혔다 할지라도 내 앞에 벌어지는 악에 대해서 항거한다는 것은 우리의 의무입니다. 어제까지 악을 행했더라도 오늘 선을 행하겠다고 작정하면 하나님께서 도와주시겠다고 하셨습니다.

환자를 치료 하기는 커녕 환자의 장기를 빼내 팔아먹는 삯군 의사에게 맡기기 보다는 아버지께 지혜를 구하며 우리를 의사로 만들어주시라고 기도드리면서 그 환자에게 다가설 것입니다. 우리를 양자 삼으신 참 의사이신 아버지께 직접 고쳐주시라고 부탁드릴 수도 있고 우리가 아버지께 의술을 배워 그 의사들을 쫓아내고 그 환자들을 고쳐줄 수도 있습니다. 강도들과 드라큘라 의사들에게 가만히 당하고 있느니 요나단처럼 병기 잡은 자와 일어나 하나님이 허락하시면 전진할 뿐입니다.

세상에는 드라큘라 의사들 말고도 무면허 의대 교수들도 많이 있습니다. 해보려고는 하지만 실은 실력도 자격도 없는 사람들입니다. 이들은 의사를 양성한다고 하지만 드라큘라 의사를 만들거나 무면허 의사를 양성할 뿐입니다.

세상 문제를 해결해보겠다고 하나님을 배제하고 나서는 모든 교수들은 다 이런 사람들입니다. 지혜의 원천이신 하나님을 알지 않고 그분에게 배우지 않고 어떻게 지혜로울 수 있습니까?

여호와를 경외하는 것이 지식의 근본이라 하셨습니다. 하나님은 지식의 하나님이십니다. 이 우주를 지혜로 지식으로 창조하셨습니다.

지금 세상에는 여러 해결책을 내놓는 사람들이 많이 있습니다. 하지만 진정한 해결책을 내놓는 사람들은 극히 드뭅니다.

성령 충만함 없이 어찌 하나님의 해결 비법을 얻을 수 있겠습니까?

왕에게 요구되는 첫 번째 사항이 하나님의 말씀을 묵상하는 것이었습니다. 정치하는 데도 시간이 없는데 하나님은 말씀을 묵상하라고 하셨습니다. 그곳에 나라 다스리는 법, 공의로 다스리는 법이 있음을 아셨기 때문입니다. 그래서 우리들은 말씀을 열심히 묵상하려고 합니다. 하나님께 지혜를 구하면서. 꾸짖지 아니하시고 후히 주시는 아버지께.

김대중 대통령의 실패는 바로 하나님을 의지하지 않은 데서 온 것이라고 봅니다. 자신의 철학이, 구조 조정의 철학이 하나님의 말씀에 합당한지를 검토하지 않고 람보 족속이 맨해튼에서 섬기고 있는 신자유주의의 여신을 숭배한 것이 그의 죄라고 봅니다.

우리는 또 현상을 열심히 들여다보려고 합니다. 하나님께 지혜를 구하면서. 우리는 또 그간의 여러 치료법들을 검토하려고 합니다. 지혜를 구하면서.

이 작업들은 실로 방대합니다. 몇 년에 끝날 수 없습니다. 지속되어야 합니다. 그러나 응급 환자들은 속출하기에 할 수 있는 한, 깨달은 것은 바로 적용하려고 합니다. 그리고 지식 구축을 통해 지식 정당화하려고 합니다. 우리의 아버지께서 지식의 왕이시니 우리가 구하면 지식을 주실 것입니다. 내 지혜가 스승의 지혜보다 낫다고 했습니다. 하나님이 도와주시면 이런 일이 벌어질 수 있습니다. 이 모든 것은 아버지와 온 세계를 위한 것입니다. 하나님과 사람들, 사람과 사람들, 사람과 기타 모든 피조물 사이의 공평과 정의는 그렇게 이루어져갈 것입니다.

성령 충만한 사람들을 통해 아버지께서 일하실 것입니다. 예수님과 손잡고서 일할 것입니다. 예수님의 이름을, 아버지의 이름을 자랑스럽게 외치면서. 왜냐하면 우리의 생명이시기 때문입니다.

우리가 이분들로 인하여 아무리 비천한 대접을 받는다 할지라도 우리는 이분들을 찬양하며 춤출 것입니다. 우리의 옷이 다 벗겨져 우리가 가장 가까운 사람들로부터 무시를 받는다 할지라도. 우리를 비천한 곳, 죄악 가운데서 들어 써주신 것을 우리는 알기 때문입니다. 어찌 우리가 이런 꿈을 꾸고 이런 일을 해보겠다고 나설 수 있었겠습니까? 아버지의 은혜가 아니면 불가능한 일입니다.

주님이 십자가를 지시지 않으셨으면 불가능한 일입니다.

개도 은혜를 아는데 하물며 사람인 우리가 은혜를 알지 못하고 우리의 아버지, 우리의 예수님을 사람들 앞에서 부끄러워한다면 우리는 개만도 못한 사람들입니다. 개는 자기 주인이 아무리 사람들에게 욕을 먹는 사람이어도 그 주인만 오면, 자기에게 밥을 주고 먹여 살려주는 주인만 오면 아무도 아랑곳하지 않고 꼬리를 흔들고 좋아 어쩔 줄 모릅니다.

그러나 인간들은 그렇지 않습니다. 다른 사람들의 눈치를 봅니다.

하나님께 구원받았다고 하는 사람들이 얼마나 다른 사람들의 눈치를 보는지 우리는 잘 압니다. 저도 그런 개만도 못한 사람이었습니다. 또 여전히 그럴 때가 있습니다.

마치 아브라함이 목숨 하나 부지하려 자기 아내를 누이라 하고 위기를 모면하듯이 저도 하나님을 그렇게 부끄럽게 만들어드릴 때가 많습니다. 다시는 그러지 않겠다고 하면서도 사람들 앞에서 특히 지적이라고 포장된 사람들 앞에서 부끄러워할 때가 많습니다. 제가 개만도 못한 인간임을 잘 압니다. 그래서 예수님은 어린 아이와 같은 사람들만 천국에 들어올 수 있다고 하신 것을 압니다. 희망은 있습니다. 일흔 번씩 일곱 번이라도 용서해주시는 하나님이시기 때문에 제가 개만도 못한 인간이라는 것을 깨닫고 아버지께 가면 다시 저를 받아주시고 잘해보라고 하십니다.

우리 아버지는 너무도 좋으신 분이십니다. 저는 세상 모든 것을 다 버려도 이 분을 버릴 수는 없습니다. 제 자식을 버려도 이 분을 버릴 수는 없습니다. 이 길이 모두를 살리는 길임을 알기 때문입니다. 제 자식마저도 살릴 수 있는 길임을 알기 때문입니다.

이렇게 볼 때 저는 칼 바르트와는 생각이 다릅니다. 국가와 교회에서 그가 보여준 정치관과는 다른 생각을 가지고 있습니다. 칼 바르트가 염려한 사람들은 우리 같은 사람들이 아니었다고 봅니다. 영향력이 있고 유명한 사람들이었을 것입니다.

요즘으로 치면 기독교인이라고 하는 국회의원들일 것입니다. 이들은 실제 선거 때면 각 교회를 돌아다니면서 표를 모읍니다. 그러다가 절에도 갑니다. 이런 사람들이 기독교 정당을 만드는 일을 칼 바르트는 염려

했을 것입니다.

본회퍼의 고민, 즉 미친 운전자를 제거하는 것이 오히려 모두에게 좋은 것이라는 생각으로 이 일을 하고 있습니다. 다른 당과 연합하면서 표를 얻기 위해 하나님의 말씀을 저버리는 행위를 하는 것은 하나님을 믿지 않기 때문입니다. 지금도 기적은 계속되고 있습니다. 지구가 여전히 돌아가는 것 자체가 기적입니다. 하나님은 여전히 만유의 주권자이십니다. 주관자이십니다. 필요하다고 여기시면 기적을 일으켜주실 것입니다.

우리는 떡 다섯 개와 물고기 두 마리 밖에 가진 것이 없습니다. 저 혼자 먹기에도 부족한 양입니다. 그러나 이것을 주님께 내어드립니다. 오천 명을 먹이는 데 사용하여 주시라고요.

어차피 그들은 그냥 배고픈 채로 돌아가든지 아니면 예수님의 기적 행하심으로 밥을 먹게 되든지 둘 중 하나입니다. 우리의 내어놓음이 실패로 끝날 수도 있습니다. 그러나 그것으로 인해 누구도 손해 볼 사람은 없습니다. 성공하면 모두가 먹고 실패하면 그저 모두가 여전히 배고플 뿐입니다. 추가적 배고픔을 만들어내진 않습니다.

우리 중에 일명 기독교계라고 하는 집단 속에서 그들의 안목으로 볼 때 유명한 사람들은 거의 없습니다. 제가 보기엔 실제 유명하고 실력 있는 분들이 계시지만 기독교계의 저명인사들은 그들을 양 몇 마리나 치던 자로 여길 것입니다.

다윗이 골리앗과 싸웠다가 져도 사람들이 놀라지 않았을 것입니다. 우리는 패권과 거리가 먼 사람들입니다. 저명인사들이 어느 날 모여서 기독이라는 단어를 붙이고 정당을 만들면 이는 오병이어가 아닙니다. 기적도 일어날 수 없습니다. 그들이 가진 것으로 나눠 먹인 것이지

기적이 일어난 것이 아닙니다. 그러나 만약 우리 같이 비천한 사람들, 무명인 사람들이 나서서 일을 이루어낸다면 이는 분명 하나님이 도우셨음을 증명하는 것이며 하나님이 살아계심을 나타내는 것입니다.   설령 실패한다 하더라도 하나님은 여전히 살아계십니다. 설령 하나님이 돕지 않으시더라도 우리는 갑니다. 왜냐하면 우리 소견에 이 길이 옳기 때문입니다. 확신을 달라고 오랜 기간 기도드렸습니다. 그리고 확신이 생겼습니다. 이제 확신했다면 움직여야 합니다. 이것이 하나님을 믿는 사람들의 도리입니다.

　누구에게 해가 되지 않습니다. 우리가 예수님 이름 전파하여 복음을 전하는 것이고 또 이 일이 성공하여 도탄에 빠진 많은 사람을 먹일 수 있다면 얼마나 큰 복입니까? 사도 바울은 이래 전파되나 저래 전파되나 예수님 이름이 전파되면 된다고 하고서 나쁜 의도를 가지고 예수님을 말하고 다닌 사람들을 놓아두라 하신 적이 있습니다. 최악의 경우 우가 그런 사람들이 된다 할 수도 있습니다. 만약 우리가 성공한 후 그 어떤 세력보다도 나쁜 사람들이 된다면, - 그렇게 성공할 리도 없지만- 하나님은 공의의 칼을 우리에게 빼실 것임을 우리는 잘 압니다.

　하나님의 심판이 하나님의 집부터 시작된다고 했습니다. 우리는 이미 하나님이 얼마나 무서우신 분이신가를 경험하고 왔습니다. 사람들은 우리 일을 통해 역설적으로 하나님의 공의를 체험할 것입니다. 한 달란트 가진 사람이 되고 싶지 않습니다. 3 달란트, 5 달란트 가진 사람처럼 장사하고 싶습니다.

　우리 당이 하나님의 인정을 받은 당이라든지, 기독이라는 명칭을 독점한다든지 할 수 없습니다. 오로지 우리는 우리가 깨달은 한도 내에서 이 땅 가운데 하나님의 나라와 하나님의 의를 구하고자 할 뿐입니다. 나무는 열매로 알아볼 것입니다. 우리가 하나님의 뜻대로 행한다면 좋은 열매를 맺을 것이고 그렇지 못하면 열매 맺지 못하거나 나쁜 열매를 맺게 될 것입니다.

아버지 도와주소서. 당신의 뜻을 더욱 분명히 하여주시고 지혜를 주시고 당신이원하시는 대로만 행하게 하소서. 당신의 이름을 높이 외치며 나가게 하시고 당신께 영광이 되게 하소서. 우리는 다만 미천한 종이 되게 하소서. 우리를 통해 당신의 구원이 알려지게 하소서. 당신이 살아계신 하나님이심을 드러내소서.

우리가 실제적으로 사람들을 도울 수 있도록 지혜를 주소서. 그들에게 해를 끼치지 않게 하소서. 우리가 소경이 되어 소경을 인도하지 않게 하소서. 함께 할 사람들을 보내주소서. 그러나 그런 사람들이 적다할지라도 요나단처럼 나가게 하소서.

선거전이 사람 숫자에 달리지 않은 것을 알게 하시고 담대함을 주시옵소서. 우리가 만약 이기는 일이 있다 할지라도 예수님처럼만 국민을 섬기고 국민을 당신께 이끌게 하소서. 당신이 복의 근원이심을 사람들로 알게 하소서. 이를 담대히 알리게 하소서. 우리가 알면서도 거짓을 행하지 않게 하소서. 당신이 유일하신 하나님이심을 알면서도 부끄러워 당신을 전하지 못하는 죄를 범하지 않게 하소서. 아버지 우리를 이끄소서.

우리 뜻대로 하지 마옵시고 아버지 뜻대로 하시옵소서. 예수님 이름으로 기도드립니다. 아멘

56. 왕권신수설, 왕권 신분설, 권력 분산

절대 왕정이 사용했던 토대 이론이 왕권신수설이었습니다. 왕권을 하나님으로부터 받았으므로 여기에 도전하는 일은 하나님께 반역적인 행위라 함으로써 어떤 혁명도 막으려 했습니다.

그러나 존 로크는 civil government에서 이를 부정하고, 천부적 권리를 왕이 박탈하려 할 때는 왕에게 대항할 수 있다고 함으로써 유럽 민주혁명의 토대를 제공했습니다. 생명, 재산 등은 하나님께로부터 받은 것인데 왕이 이를 빼앗아가려 할 때는 대항할 수 있다고 했고 이로 인해 유럽의 절대 왕정이 무너지고 부르주아 혁명이 성공할 수 있었습니다.

왕권신수설은 기본적으로 옳다고 할 수 있습니다. 그러나 이것이 모든 왕에게 해당되지는 않습니다. 하나님의 인치 심 없이 스스로 왕이 되는 사람도 있을 수 있습니다. 그리고 하나님께서 인 치셔서 왕이 되었지만 하나님께서 버리시는 왕들도 있습니다.

로마서에 나오는 모든 권위가 하나님께로부터 왔다는 말씀과 그 권위에 순종해야 한다는 말씀도 이와 같은 맥락에서 해석되어야 합니다.

베드로가 예수님을 전파하는 일을 막는 대제사장에게 하나님께 순종하는 것이 옳은지 사람에게 순종하는 것이 옳은 지라고 말씀드렸던 바에서 유추할 수 있습니다.

사울은 하나님께서 세우셨지만 그의 재위 기간에 또 다른 왕으로서 다윗에게 기름 부어주신 분도 하나님이십니다. 사울의 악행으로 인해 사울의 권좌는 유지될 수 없었습니다. 열왕기서, 역대서 에는 이런 사례들이 무수히 나옵니다.

솔로몬은 성전도 짓고 하나님께 충성된 점들이 젊은 시절에 있었지만 나이가 들면서 점차 이방 여인들에게 빠지면서 우상 숭배와 백성 착취로 하나님의 마음을 괴롭게 했고 이로 인해 그의 후손 대에 가서는 왕국이 나눠지는 벌을 받게 됩니다. 이로 인해 이스라엘은 북왕국 이스라엘과 남왕국 유다로 르호보암 왕 때 분열되는데 이는 이미 솔로몬 때 시작되었습니다. 하나님께서 나라를 나눠서 여로보암에게 주셨습니다. 神分, 즉 하나님께서 나누셨습니다.

원래 하나님께서는 이스라엘에 왕 제도가 생기는 것을 원치 않으셨습니다. 사람이 왕이 되면 세상 모든 나라가 그렇듯이 독재와 착취가 이뤄질 것을 아셨습니다. 어떤 사람에게 이렇게 권력과 부가 집중되면 반드시 문제가 생깁니다. 하나님만이 왕이 되실 수 있습니다. 그래야만 문제가 생기지 않습니다. 모세 시대나 사무엘 시대의 통치 방식, 즉 하나님께서 직접 통치하시고 대언자가 있고, 권력과 부는 백성들 가운데 고루 균등하게 분포되어 있는 상태가 이런 독재 왕의 문제를 원천적으로 봉쇄하는 길입니다.

지금 민주화가 되어서 이전보다 낫기는 하지만 여전히 권력 독점, 부의 독점의 문제는 심각합니다. 북한은 더욱더 그렇습니다. 따라서 어떻게 모세 시대나 사무엘 시대처럼 절대 권력자가 없으면서 직접 민주주의 방식을 이룰 수 있는가 하는 점을 찾고 제도화하는 일이 필요합니다.

아리랑당은 이런 세상을 만들고자 합니다. 오직 하나님만이 왕이시고 사람들은 공평한 삶을 누리는 체제. 현재로서는 내각 책임제가 대통령제 보다는 보다 권력 분산 체제에 가깝다고 보입니다. 더욱더 권력을 분산해야 합니다. 세금도 이와 관련된 관점에서 살펴볼 필요가 있습니다.

57. 권력은 비판받아선 안 되는가

비판하지 말라 비판받지 아니할 것이 요는 무슨 뜻일까요? 예수님께서는 누가복음 13장 312절에서 헤롯이 예수님을 죽이려한다는 바리새파 사람들의 이야기를 듣자 그들에게 32절에서 이렇게 말씀하십니다.

32 "가서 그 여우에게 말하여라. '오늘과 내일은 내가 마귀를 쫓아내고 병을 고칠 것이다. 그리고 삼 일째 되는 날에 내 일을 이룰 것이다.'"

33 "그러나 오늘과 내일 그리고 그 다음 날에도, 나는 내 갈 길을 가야 한다. 예루살렘 밖에서 예언자가 죽을 수 없다.

34. 아, 예언자들을 죽이고 너에게 보낸 사람들을 돌로 친 예수살렘아! 암탉이 날개 아래에 병아리를 품듯이 내가 네 자녀들을 모으려고 여러 번 노력하지 않았더냐? 그런데 너희는 원하지 않았다

35. 보아라. 너희의 집은 무너질 것이다. 내가 너희에게 말한다. 너희가 '주의 이름으로 오시는 이가 복이 있다'라고 말하게 되는 날까지 너희가 나를 보지 못할 것이다.

불의한 권력은 비판받아야 하고 교회가 항거해야 합니다. 세례 요한도 이 헤롯을 비판하시다가 돌아가셨고, 예수님도 그렇게 되셨습니다.

58. 이 땅을 천국으로 만드시려는 계속된 노력

하나님은 세계를 창조하시고 아담을 통해 이 땅을 천국으로 만들고자 하셨던 것으로 보입니다. 그러나 아담은 그의 아내 하와의 이야기를 듣고 하나님을 배반하고, 즉 하나님보다 그의 사탄의 꾐에 넘어간 아내의

말을 더 신뢰하고 선악과를 먹고 결국 에덴동산에서 쫓겨나고 생명나무 열매를 먹을 수 없게 되며 유한한 인생이 됩니다. 하나님의 천국 계획이 수포로 돌아가는 듯 보입니다. 노아를 통해 새로운 천국을 만드시려는 계획도 또다시 실패로 돌아갑니다. 노아 가족은 노아의 음주 행위 이후 분열되고 결국 함의 후손의 반역으로 인해 인류사는 크게 소용돌이칩니다.

이제 이 계획이 다시 아브라함을 통해 모색됩니다. 요셉의 이집트 경제 개혁은 이 땅에 하나님의 나라와 의를 만드는 한 모델이 됩니다. 하지만 이는 완전한 것이 못됩니다. 과도기적 형태입니다. 보다 완전한 모습은 이스라엘 후손들이 가나안 땅에 들어가 완전히 새로운 국가 체제를 건설함으로써 이루어지는 듯합니다. 그러나 그의 후손인 유다 족속의 배반으로 인해 또 천국 계획은 실패합니다.

이제 마지막으로 예수님의 천국이 도래합니다. 그러나 이도 또한 실패하는 듯이 보입니다. 교회의 타락 때문입니다. 그러나 예수님은 재림하실 것이고 결국 천국은 성공합니다. 이 마지막 때에 있는 우리는 이 땅에 어떤 나라를 건설해야 할까요? 이것이 아리랑당을 만들어가는 우리의 고민입니다.

59. 오직 성령이 너희에게 임하시면, 땅 끝 까지 내 증인이 되리라

증인이 되어라가 아니고, 증인이 되리라고 하신 것은 성령이 임하시면 그렇게 될 수밖에 없기 때문입니다. 그 속에 있는 것을 드러내지 않을 수 없습니다.

오직 성령이 임하시면, 이 말씀은 사도행전 1장 8절에 나오는 말씀으로 많은 교회와 선교단체들이 선교 명령으로 사용합니다.

ἀλλὰ λήμψεσθε δύναμιν ἐπελθόντος τοῦ ἁγίου πνεύματος
ἐφ᾽ ὑμᾶς, καὶ ἔσεσθέ μου μάρτυρες τε ἐν Ἰερουσαλὴμ καὶ
ἐν πάσῃ τῇ Ἰουδαίᾳ καὶ Σαμαρείᾳ καὶ ἕως ἐσχάτου τῆς γῆς.

그런데 예수님의 증인이 되는데, 예수님이 누구이신 것을 증언하는가
에 대한 오해가 한국 교회나 미국 교회 등에 깊이 뿌리박혀 있습니다.
사도행전 5장 31절 32절에 베드로와 사도들은 이렇게 표명합니다.

"이스라엘에게 회개함과 죄 사함을 주시려고 그를 오른손으로 높이사
임금과 구주로 삼으셨느니라."
우리는 이 일에 증인이요 하나님이 자기에게 순종하는 사람들에게 주신
성령도 그러하니라 하더라"

이스라엘은 무엇을 회개해야 했을까요? 수많은 선지자들이 와서 회개
를 촉구했던 내용들입니다. 바로 하나님을 사랑하지 않고, 이웃을 사랑
하지 않는 죄였습니다.

예수님은 이스라엘에 임금과 구주로 오셨는데, 임금이신 자기들의 왕
을 십자가에 못박아버렸습니다. 오늘날 교회들이 예수님을 구주로만 전
파하는데 그렇지 않습니다. 예수님은 임금이심을 사도들이 증인이 되었
습니다. 예수님의 십자가엔 예수님이 유대인의 왕이라는 팻말이 붙었습
니다. 빌라도가 이렇게 했는데, 자칭을 넣으라는 유대 지도자들의 말을
듣지 않았습니다.

예수님은 상징적인 왕이 아니라 실질적인 왕입니다. 마치 다윗이 상징
적인 왕이 아니라 실질적인 왕이셨던 것처럼. 실질적인 왕이시라면 오늘

날도 이 분은 유대를 그리고 전 세계를 여전히 통치하고 계십니다. 바로 이 점에서 오늘날 기독교는 어떤 점에서 이스라엘의 유대교 신자들보다 메시아에 대한 이해가 부족하다고 볼 수 있습니다.

예수님이 오셨을 때 예수님을 이해하지 못한 이스라엘이 오늘날은 오히려 메시아에 대해 더 잘 이해하고 있다고 볼 수 있습니다. 이스라엘과 유대인들 사이에 더욱더 확장되어지고 있는 메시아닉 주이쉬들에게서 잘 나타나고 있습니다.

사도바울께서 이방인인 돌감람나무 보다 유대인들이 훨씬 더 접붙임이 잘 될 것이라고 말씀하신 것처럼, 원래 말씀을 맡았던 유대인들이 돌아오기 시작하자 이방인 출신의 우리 기독인들보다 더욱더 말씀을 잘 이해하고 예수님에 대해 메시아에 대해 잘 이해하기 시작했습니다.

한국에도 이젠 이방인이 전해오는 기독교가 아니라, 유대인들이 전해오는 메시아로 더욱더 풍성한 복음이 전해져야 합니다.

복음은 바로 하나님께서 우리를 사랑하사 이 땅에 오셔서 우리 대신 십자가에 달리시고, 사흘 만에 부활하셔서 스스로 유대인의 왕이심을 증명하셨음을 알고, 우리도 물과 피와 성령으로 거듭나서 예수님의 사람이 되어서 예수님처럼 이 땅에 살아가는 것입니다.

하나님을 사랑하고 이웃을 사랑하는 사람으로 거듭난 성령 충만한 사람이 되는 것, 이것이 바로 예수님의 십자가의 목표였습니다.

그리고 권력의 현장에서 예수님이 모든 권력의 주인이심을, 공산당 앞에서도, 민주제 앞에서도 외칠 수 있어야 합니다. 베드로와 사도들이 헤롯과 빌라도와 대제사장과 사두개인들 앞에서 외쳤던 것처럼.

60. 공의로운 국가 체제에 대한 모세의 고민

수백만 명이 출애굽해서 가나안 땅으로 들어가서 공동체 생활을 해야 했다. 이는 결국 국가였다. 이미 이집트에서 국가 체제를 경험했다. 이제 이스라엘 스스로 국가를 만들어내야 했다. 인구는 있는데 영토가 없었다. 이제 영토를 확보하고 그 인구가 국민이 되어야 했다. 여기에 가장 중요한 것이 시스템, 체제, 법이었다.

사람이 떡으로만 살 것이 아니요, 하나님 입으로 나오는 모든 말씀으로 살 것이라고 하신 말씀은 국가에도 적용된다. 혼자서 생활하는데도 규율이 필요한데, 하물며 이 많은 사람들이 영토를 가지고 한 사회를 만들어 살아가는 데는 이 합리적인 체제 모델이 필수였다

모세는 이를 고민했고, 하나님께 여쭈어보셨을 것이다. 그리고 이집트에서 왕자로 있을 때도 이 체제를 주의 깊게 살펴보았을 것이다. 요셉도 감옥에서 그리고 이집트 생활을 통해 이 문제를 주의 깊게 살폈을 것이고, 하나님께 지혜를 받아 총리로서 이 모델을 만들어가셨다고 본다.

솔로몬이 지혜를 구한 것도 바로 이 체제, 법에 대한 고민이었다. 다수가 생활하면 얽히고설키는 문제가 생길 수밖에 없다. 이사야, 느헤미야의 고민도 그러한 것이었다. 그러면 예수님의 고민은 이와 어떤 연관이 있을까?

3. [신명기 4:8]

오늘 내가 너희에게 선포하는 이 율법과 같이 그 규례와 법도가 공의로운 큰 나라가 어디 있느냐

61. 사사 체제와 왕 체제의 근본 차이는, 그 결과는

이스라엘이 왕을 구하자 하나님께서는 사무엘을 통해 그들이 사무엘을 버리는 것이 아니라 하나님이 왕 되시는 것을 버리며 바라지 않는 것이라 말씀하시고, 왕제의 여러 폐해를 그들에게 알려주라 하시며 이를 수용해 주십니다.

예수님은 로마의 총독 빌라도 앞에서 스스로를 왕이라고 하셨습니다. 사울은 초대 왕이 되고, 제사 문제로 폐위되고 다윗이 왕이 됩니다. 그리고 그는 죄를 짓고 솔로몬을 낳고 솔로몬 이후 이스라엘은 두 나라로 분열되었다가 북왕국 이스라엘이 먼저 망하고 사마리아 화되고, 후에 남왕국 유다도 BC. 6세기에 망하고 바빌론 유수되었다가 페르시아 고레스 왕의 허락으로 느헤미야 등이 이스라엘로 귀환하고 성전 등을 재건합니다. 예수님이 오실 때에는 로마의 치하에 있었습니다.

출애굽 시킨 모세는 왕이 아니었고 종교 지도자에 가까웠습니다. 여호수아는 군사 지도자라고 볼 수 있고, 여호수아 사후 이제 사사 시대가 되면서 마지막 사사가 사무엘인데 그는 종교 지도자에 가까웠습니다. 그러나 그도 칼을 휘둘러서 적장을 죽이기도 합니다.

하나님께서는 어떤 정치 체제를 원하셨을까요? 이 답을 찾아가보도록 하겠습니다.

1) 왕제는 원치 않으셨다. 그러면 왜 12제자를 왕 노릇 한다고 쓰셨을까요? 요한계시록에서요.

2) 대통령제나 의원 내각제 등은 하나님께서 원치 않으신 왕제와 어떤 상관이 있을까요?

3) 왕제의 문제점이 세금 문제 그리고 병역, 노역 등입니다. 현재 자본주의 민주제 체제에서 이런 폐해를 제거하는 것이 하나님께서 원하시는 바람직한 정치 체제를 향한 한 걸음이 된다고 봅니다.
4) 레위인 즉 말씀의 지도자들이 말씀과 기도에 전념하고, 다른 분야의 국민들은 생업에 종사하면서 선교에 필요한 십일조를 내고, 군사 분야는 평소엔 생업, 전쟁 시 소집과 전투 참여 형태로 유지될 수 있다고 봅니다.

이렇게 되면 세금 부담을 확 줄일 수 있습니다. 다만 이스라엘은 지파별로 토지를 분할했고, 그 지파 안에서만 토지 상속이 이루어지고 희년에 다시 그 지파로 토지가 귀속되었기 때문에 지파적 자치 특성이 강하다고 볼 수 있습니다.

예수님의 12제자도 열 두 지파의 수장이 되는 것입니다. 그런데 여기에서 섬김의 중요성이 나옵니다. 수장이 종이 되는 것입니다.

62. 하나님은 사사가 아니라 왕이셨다.

사무엘은 사사이셨고, 하나님은 자신의 아이덴터티를 왕이라 하셨다. 이스라엘의 왕은 하나님이셨다.(사무엘상 8장 7절)

이는 그들이 너를 버림이 아니요 나를 버려 자기들의 왕이 되지 못하게 함이니라.

하나님은 바로 체제에서 자기의 백성 이스라엘을 출애굽 시키고 한 나라를 만드시고 그 왕이 되셨다. 바로는 신이었다. 왕은 신이기도 했다. 하나님은 왜 사사나 종교적 신이 되기를 원치 않으시고 정치적 왕이 되시길 원하셨을까?

하나님은 사람이시기 때문이다. 이방의 신은 사람과 하등의 관계가 없다. 그러나 하나님은 인간은 자신의 형상대로 창조하신 사람이다. 그리고 예수님 당시의 이스라엘은 유대인의 왕으로 오신 예수님의 왕 되심을 거부하고 십자가에 못 박았다. 사무엘 때 왕이신 하나님을 버린 이스라엘은 예수님이 이 땅에 왕으로 오시자 또 그를 버리고 카이사를 택했다.

내가 너희 왕을 십자가에 못 박으랴 대제사장들이 대답하되 가이사 외에는 우리에게 왕이 없나이다 하니(요한복음 19장 15절 중)

사무엘 때 하나님이 왕 되심을 바라지 않았던 이스라엘은 예수님이 왕 되심도 원하지 않았다. 그들은 그 때 사울을 세웠고, 이제 가이사를 왕으로 선택했다.

예수님은 자신을 놓아줄 권이 있다고 말하는 빌라도에게 위에서 주시지 않으셨으면 할 수 없는 일이라고 말씀하셨다. 빌라도가 왕이신 하나님의 권 아래 있다고 분명히 말씀하셨다. 그러나 빌라도는 그것을 깨닫지 못했다. 그런데 예수님은 또 유대인의 왕에 대한 지극한 관심이 있었다. 그는 정치가였기 때문이다. 그에게 예수님은 자신이 분명 유대인의 왕이라 말씀하신다. 그런데 또 그 나라가 이 세상에 속한 것이 아니라고 말씀하신다.

당연히 하나님의 통치 아래 로마가 존재하니 그렇다. 로마의 통치 아래 하나님의 통치가 있는 것이 아니다. 유대인의 왕은 로마의 통치 아래 있지 않다. 하나님께서 허락하셔서 이스라엘이 로마에 망하도록 하셨을 뿐이고, 그 로마도 결국 하나님이 로마의 왕 되심을 인정하는 왕들이 통치하게 될 것이다.

하나님은 사람이시고, 사람은 신이다. 그리고 하나님은 모든 인류의 조상이시다. 그래서 우리의 아버지시고 할아버지이시다. 예수님은 다윗 왕의 손주이시기도 하지만, 다윗 왕의 주 또는 아버지이기도 하시다.

63. 위대한 황제, 왕제, 봉건제, 절대 왕정, 민주제, 권력 분산

다니엘의 신상에서 느부갓네살은 위대한 황제, 그리고 그만 못한 왕들이 나타나고, 결국 흙처럼 부서진다는 말씀이 나온다. 반석이 이에 부딪쳐서.

결국 지금의 민주제가 다시 생성됨이 예언되어졌다. 이제 앞으로 어떤 형태의 정치체가 만들어질까. 요한계시록을 보자. 오직 하나님만 섬기는 왕들이 나타나 왕 노릇하게 된다. 하늘의 왕 하나님을 섬기는 땅의 왕들이 세세토록 왕 노릇하게 될 것이다. 사람들 간에는 더 이상의 착취도 없다. 민주제를 더 넘어서 권력 분산이 이뤄져야 한다. 누구도 누구를 지배하는 세상이 되어선 안된다. 오직 공의가 지배하고 하나님 만이 왕 되신 세상이 되어야 한다. 이것이 바로 하나님의 나라와 하나님의 의다. 가나안 땅에 들어갔을 때 왕이 없었다. 모두가 하나님의 법 아래 평등했고, 사회는 공평했다.

제사장과 레위인이 다른 지파들을 지배하는 사회가 아니었다. 교황처럼 대제사장이 일반 신도라고 하면서, 평신도라고 하면서 지배하는 사회가 아니었다. 정치인들이 일반 국민을 착취하는 나라도 아니었다. 그런데 왕제가 생기면서 이 착취가 시작되었다. 이 착취를 하나님께서는 미리 경고하셨다. 그래도 이스라엘은 왕을 구했다.

  이제 우리는 모두가 모두를 섬기는 사회, 서로 사랑하는 사회를 만들어 내야 한다.

64. 시편 45편으로 본 아리랑당의 미래

16 왕의 아들들은 왕의 조상들을 계승할 것이라 왕이 그들로 온 세계의 군왕을 삼으리로다

17 내가 왕의 이름을 만세에 기억하게 하리니 그러므로 만민이 왕을 영원히 찬송하리로다

  만왕의 왕이신 예수님의 아들들은 바로 그의 피로 거듭난 사람들입니다. 어머니 태에서 나온 것처럼, 우리는 예수님의 십자가에서 함께 죽고 그의 부활하심과 합하여 함께 살아났습니다. 그래서 하나님은 우리 아버지이십니다. 만왕의 왕이신 하나님의 자녀들은 또 군왕이 됩니다. 각 나라들을 섬기는 군왕이 되어 만왕의 왕이신 하나님의 자녀들로서 그분께 영광을 돌릴 것입니다.

  요한계시록 21장의 땅의 왕들이 하나님의 성전으로 그 영광을 가지고 들어오는 것은 바로 이 장면과 하나입니다.

  아리랑당은 전 세계 각 나라에 아리랑당을 세울 것이고 각 나라에서 정권을 획득하고 그 나라 국민들을 하나님의 규례대로 섬기는 만인의 종들이 될 것입니다.

  아브라함의 정체성은 무엇일까요? 본토 친척 아버지 집을 떠나 갈 바를 알지 못하고 가셨던 그 분은 다윗의 조상, 예수님의 조상이 되셨습니다.

열왕이 아브라함의 후손이 되리라고 하셨습니다. 예수님의 피로 거듭난 사람들이 세계 각국의 정치 지도자가 됩니다.

아브라함은 왕이 아니었지만, 거류하는 나그네와 같았지만, 시작은 미약하였지만 하나님의 약속은 여전히 진행형으로 성취되어가고 있습니다. 그 중의 하나가 바로 아리랑당을 통한 세계 각국의 정권 획득이고, 세계 만민을 섬기는 정치 지도자의 배출입니다.

65. 예수님은 세금을 받지 않는 왕이셨다

유대인의 왕이신 예수님은 어떤 세금을 받으셨을까?

수산나와 요안나와 막달라 마리아 등이 예수님과 제자들을 그 소유물로 섬겼다고 나옵니다.(누가복음 8장 1-3)

오히려 예수님은 막달라 마리아에게서 귀신을 내쫓아주시고, 많은 사람들의 병을 무료로 고쳐 주셨으며 그들에게 먹을 것을 주셨습니다. 하늘의 비부터, 공기, 토지까지 그들에게 주셨습니다. 무료로.

예수님의 제자들, 즉 그 관료들도 밥이나 얻어먹고 잠자리만 제공받았습니다. 오히려 그들은 국민들에게 병 고침, 귀신 쫓아내줌, 강연 등 무료 혜택을 많이 베풀었습니다(누가복음 9장)

예수님은 왕궁도 없는 왕이셨습니다. 왕궁은커녕 머리 둘 곳도 없으셨습니다. 제가 대통령이 되면 청와대를 없애겠습니다. 임대 아파트에서 출퇴근하겠습니다. 강남 일원동 쓰레기 소각장에 대통령 집무실을 만들겠습니다. 모든 쓰레기 소각장과 혐오 시설에 정부 시설과 공기업 업무 시설을 만들겠습니다.

66. 난이도가 높은 문제는 극소수만 정답을

선거에서 가장 좋은 후보를 고르는 일은 난이도가 낮은 문제가 아니다. 그러므로 선거에서 다수가 고른 후보가 꼭 가장 좋은 후보일 가능성이 적다. 극소수만이 지지한 후보가 가장 좋은 후보였을 가능성이 높다. 그래서 민주주의는 위험하다. 그런데 이를 어떻게 보완할 수 있을까?

선거보다는 고시 등을 통해, 또는 임명직을 통해 국가 일을 도모하는 것이 대단히 중요해 보인다. 당연히 여기에도 문제가 생긴다. 선거에 이기기 위해서 또 다른 꼼수를 쓸 것이고 임명직이나 일반 공무원들은 여기에 따라야 할 가능성이 많다. 요셉은 바로에게 발탁되어 문제를 풀었다.

67. 솔로몬의 권력투쟁, 예수님의 권력투쟁

솔로몬은 그 왕권 획득을 위해 아도니야 왕자파와 싸워 승리했다. 아도니야를 돕던 아비아달 제사장, 요압 등을 사독 제사장, 나단 선지자, 브나야 등과 합세하여 다윗 왕을 설득하여, 제거하였다. 아도니야를 아버지의 후궁인 아비삭을 요구한 일로 죽였고, 요압도 제단 뿔을 잡고 있는 상태에서 그가 거기서 죽겠다고 하자, 거기서 죽였다. 아버지의 권위에 도전하던 시므이도 지혜롭게 죽였다. 열왕기상 1,2 장에 자세히 나오는 말씀이다.

그런데 예수님은 누가복음 19장에서 이런 권력 투쟁에 대한 말씀을 하신다. 그리고 27절에서는 자신의 왕 됨을 원치 않는 자들을 죽인다고 말씀하신다. 억지로 예수님을 임금 삼으려던 자들을 떠나가신 예수님께서 어찌 이런 말씀을 하시는 것인가? 요한복음 6장에 보면 오병이어의 기적을 행하시자 사람들이 예수님을 억지로 임금 삼으려 했고, 예수님은 산으로 떠나셨다고 나온다.

성경은 언뜻 보면 서로 갈등되는 말씀들이 있다. 그래서 베드로 말씀처럼 잘 풀지 않고 억지로 풀다간 스스로 멸망에 빠진다.(베드로후서 3:16) 예수님이 그 사람들을 피해 산으로 가신 이유는 임금 됨을 원치 않으셔서가 아니고, 그들이 원하는 방식으로 임금 됨을 원치 않으신 것일 뿐, 만왕의 왕이 되시기 위한 십자가 사역을 향해서 나아가고 계심이었고, 이는 빌라도 앞에서 분명히 자신이 유대인의 왕임을 밝히셨음을 볼 때 분명하다.

많은 선지자들과 사도들, 제자들이 죽어간 이유가 바로 하나님의 왕 되심, 예수님의 왕 되심을 선포하셨기 때문이다. 세상의 왕들은 이를 기뻐하지 않았고, 세상의 권력자들도 이를 기뻐하지 않았다.

다니엘서에 나오는 대로 커다란 신상의 여러 왕들을 산에서 나온 한 돌이 다 깨버리게 된다. 예수님은 사람들이 왕으로 삼아서 왕이 되시는 것이 아니라, 이미 스스로 왕이셨다. 손대지 아니한 돌이 산에서 나와서 쇠와 놋과 진흙과 은과 금을 부서뜨린 것이다.(다니엘서 2장 45절)

요한복음 6장 15절에 나온 산으로 가신 예수님이 사람들이 손댄 것이 아니라 하나님께서 보내셔서 이 땅의 모든 불충한 권력들을 다 깨버리고 스스로 진정한 왕이심을 드러내실 것이다. 이 일이 있기 전에도 왕이셨고, 이 일 후에도 왕이시다.

솔로몬은 미리 왕위가 주어지기로 되어 있었고, 솔로몬은 그것을 빼앗으려 했던 아도니야에게서 회복한 것이다. 그리고 아도니야를 죽였다.

이 세상의 권력자들 중 예수님께 대항하는 자들은 다 죽임을 당할 것이다. 그래서 우리는 이 땅의 불의한 권력자들, 예수님의 왕 되심을 배척하는 권력자들과 악행을 저지르고 하나님의 백성을 착취하는 자들에 맞서서 성령의 검으로, 말씀으로 대적해야 한다. 그 길의 끝이 죽음일지라도 우리는 그 길을 가야 한다. 그러면 우리는 생명의 면류관을 하나님의 나라에서 받게 되고 예수님과 함께 열두 고을 중 각자에 맞게 차지하여 영원히 왕 노릇하게 될 것이다.

다시 밤이 없겠고 등불과 햇빛이 쓸 데 없으니 이는 주 하나님이 그들에게 비치심이라 그들이 세세토록 왕 노릇 하리로다(요한계시록 22장 5절)

예수님의 제자들은 바로 이러한 왕 노릇이 하고 싶어서 예수님을 따랐던 것이다. 다윗 왕을 따랐던 용사들처럼. 다만 다윗의 용사들이 칼과 창을 들었다면, 예수님의 용사들은 성령의 검을 잡았고, 다윗의 용사들이 상대를 죽였다면, 예수님의 용사들은 죽임을 당했다. 그리고 하나님의 나라에서 영원히 왕 노릇하게 된다. 주 하나님의 비추이심을 받으며, 즉 그의 말씀 가운데서.

아담이 선악과를 먹으면서 꿈꾸었던 권력은 결코 얻지 못한다. 생명나무 열매를 먹을 때만 그 권력을 얻을 수 있다. 사탄은 자신이 먹은 선악과를 아담과 하와에게 먹게 하였다. 하지만 예수님은 그 선악과를 먹지 않고 하나님께 순종하여 생명나무 열매를 드셨고, 죽기까지 충성하여 만왕의 왕이 되셨다.

다시 밤이 없겠고, 등불과 햇빛이 쓸 데 없으니 이는 주 하나님이 그들에게 비치심이라 그들이 세세토록 왕 노릇 하리로다(요한계시록 22장 5절)

예수님을 왕으로 내세우는 정당을 만드는 것은 누군가는 반드시 해야 할 일이다. 모든 정당이 예수님을 왕으로 내세워야 한다. 그 모범을 미리 보일 뿐이다. 즉 대한민국과 세계에는 기독 정당들 밖에 없어야 한다. 한 나라에 여러 종류의 기독당이 있는 것은 당연한 일이다. 선의의 경쟁이 필요하다.

예수님의 두 제자가 왕의 우편과 좌편에 앉게 해달라고 간청한 것처럼, 그리스도인들의 권력 투쟁은 나쁜 것이 아니다. 다만 만인의 종이 되어야 하고, 섬겨야 한다. 이것이 목표이지 않은 권력 투쟁은 사탄의 투쟁이 되고 만다. 벨사살과 헤롯과 빌라도의 길로 가게 된다.

구약이든 신약이든 사실상 변한 것이 없다. 신약은 오히려 강화 되었다. 하나님의 왕권이. 그리고 구약의 선지자들처럼, 예수님의 제자들도 죽어갔다.

구약에 다윗이 그 선지자들을 통해 모범적 왕으로 등장하여 예수님의 주되심을 노래하며 왕 노릇한 것 같이 우리도 신약 시대에 그렇게 하면 된다. 누군가는 선지자로 죽어야 하고, 누군가는 다윗처럼 권력 투쟁에 나서면 된다. 하나님을 높이며, 그 왕복이 벗어지도록 춤을 추며, 그러나 사울 왕에게 결코 칼을 대지 않는 모습이 우리에게 필요하다. 사울 왕에게는 칼을 대지 않았지만, 사울 왕을 죽였다고 하는 아말렉인은 바로 죽여 버린다. 사울 왕에게 적극적으로 대적하지도 않았지만, 자신이 왕으로 기름부음 받은 것을 저버리지도 않았다. 그리고 그 사울 왕의 딸이 자신의 아내였지만, 하나님의 왕권을 드높이는 일로 그는 미갈, 즉 사울의 딸은 낮추어버렸다.

다윗 왕은 바로 요한계시록 22장 5절의 왕 노릇을 정확히 이해하고 실행하셨던 것이다. 아브라함에게 주어진 약속, 많은 왕들이 그 후손으로 나리라고 하신 하나님의 약속은 이렇게 성취되는 것이며, 아브라함의 후손이 우리, 양자된 우리도 왕 노릇하게 되는 것이다. 이 땅에서 다윗처럼 하는 사람들도 있을 것이고, 하나님의 나라에서 하게 될 사람들도 있을 것이다.

진정한 의사는 예수님이시지만, 우리가 그 권한을 이양 받아 어떤 사람들이 의사 노릇하듯이, 진정한 왕은 예수님이시지만, 어떤 사람들이 이양 받아 왕 노릇하고 정치인이 되는 것이다.

우리는 오직 하나님께만 경배 드려야 한다.(요한계시록 22장 9절)

68. 이스라엘 회복과 사도들, 그리고 오해, 그리고 지금

한국 신학이 가지는 큰 문제 중의 하나가 정치권력과 하나님 나라의 관련성에 대한 인식이다. 사도행전 1장에서 사도들은 여전히 이스라엘 나라의 회복에 대한 깊은 낙담과 관심이 있었고 이를 부활하신 예수님께 다시 여쭤본다.

그러나 예수님은 이의시기를 아는 것이 그들에게 허락되지 않았음을 말씀해주시고, 예수님의 증인이 되라고 하신다. 즉 사도들의 사명은 예수님의 증인이 되는 것에 한정하시는 것이다. 그런데 언젠가는 이스라엘 나라를 회복하실 때가 있으시다는 것이다. 그리고 그 일과 관련된 사람들이 있을 것이고 그 사람들의 사명은 그 일을 이루는 것이다. 이것이 예수님 당시의 사도들과는 관련이 없었다는 점이다. 그러나 아예 관련이 없지도 않다. 사도들이 충실히 예수님의 증인이 되어 땅 끝까지 알린다면, 하나님께서는 때가 되어서 그 일도 이루시게 된다.

여기서 우리는 사도들에게 주어진 사명을 감당하는 사람들인지, 아니면 이스라엘 나라의 회복에 보다 직접적으로 관련된 사명을 가진 사람들인지 분별해야 한다.

하지만 한국 신학자들의 상당수가 이를 구별하지 못하고 있고, 또 그들에게서 배운 많은 목회자들이 그렇게 설교하고 있고, 또 그들에게서 무수한 어리석은 설교를 들은 사람들이 그렇게 살고 있다.

이것이 한국 정치의 후진성과 그리스도인들의 무관심이라는 결과로 열매 맺어졌다. 모르면 말을 하지 말아야 하는데, 무리하게 떠들고 있다.

69. 성경을 읽지 않는 사람은 정치를 해선 안 된다.

왕에게 주어진 의무가 성경 읽기와 묵상이었다. 그 이유는 그래야만 교만해지지 않고 그 백성과 자신이 동일한 수준의 사람임을 깨달을 수 있기 때문이라고 말씀하신다.

오늘날도 이 원칙은 변함이 없다. 목회자가 정치를 해야 하는 것이 아니라, 성경을 읽는 사람이 정치를 해야 하고, 그렇게 성경을 읽는 사람들 중에서 정치에 관심이 있는 사람들이 모여서 정당을 만들어야 하고 그 정당의 이념과 정책은 성경 묵상이 기본이어야 한다.

성경만으로 모든 것을 할 수는 없지만, 성경 없이는 어떤 것도 할 수 없다. 이런 정당이 필요하다. 그것을 기독 정당이라 부르는 것은 합당하지 않다. 기독은 한글로는 부적합한 단어이다. 음가가 아니라 뜻으로 이해되어야 하기 때문이다.

세상의 모든 언어는 단점과 장점이 있다. 기독은 그리스도의 한자 번역어로서 한글로 쓰기엔 부적합하다. 그래서 기독정당이라는 말도 중국에선 합당하지만 대한민국에서는 바람직하지 않다.

한국 그리스도인들 중 정치에 소명이 있는 사람들이 그 길로 가지 못하고 있다. 잘못된 목사와 장로들의 가르침으로 그 길이 막혔다. 자신들도 가지 않을 뿐만 아니라 가야 할 사람도 막고 있다. 목사와 장로의 자식들 중에 정치에 소명이 있는 사람들도 있는데, 의사와 검사로 가게 한다. 공무원으로 가게 한다. 사업가로 가게 한다. 목사와 신학자로 가게 한다.

혹시 정치를 하게 해도 기존 정당들로 가라고 한다. 정당은 이념에서 출발한다. 모든 선한 것의 출발은 하나님의 말씀이다. 그런데 어찌 하나님의 말씀을 기초로 생각하지 않는 정당이 제대로 정치 활동을 할 수 있단 말인가! 성경은 해석이 중요하다. 바리새인들이 해석을 잘 못했다. 예수님은 정확한 해석을 해주셨다. 사도 바울 서신도 사울 때는 잘못 해석했다가 나중엔 정확하게 해석하게 되었다. 읽어도 제대로 해석하기가 어려운데, 어찌 읽지도 않는데 제대로 해석할 수 있단 말인가!

70. 이웃이 부자가 되면 나는 그의 노예가 될 가능성이 더 높다

옆집이 부자가 된다고 나도 그렇게 될 거라고 인간 세상에서 생각하면 큰 착각이다. 오히려 그 집의 종이 될 가능성이 높아진다.

왕도 마찬가지다. 내 옆 사람이 왕이 되면 그 옆 사람인 나는 그의 신하가 되기 마련이다. 성경에선 그래서 인간 왕을 구하지 말라고 하셨고, 이웃의 것을 탐내서 부를 과도하게 축적하는 것을 금하셨다. 그런데 인간들은 끊임없이 착각한다. 인류사를 통해 이미 증명이 되었고 앞으로도 그럴 것이다. 옆집 대기업이 수출이 잘되고 그 직원이 임원이 되어서 급여를 많이 받으면 받을수록 그 혜택이 그 주변 모두에게 가지 않는다. 오히려 그 사람이 주변 집들을 사들이면 집값이 올라가고, 월세도 올라가고 전세도 올라가게 된다. 이 구조를 이해하지 못하니 일반 서민들이 큰 고통을 받게 된다.

유명한 축구 선수가 연봉을 많이 받아서 이 나라에 돌아오는 것이 꼭 모든 사람에게 유익한 것이 아니다. 그로 인해, 그의 축구로 인해 행복한 사람들도 많이 있고, 돈을 버는 사람들도 있겠지만 많은 서민들은 오히려 어려워진다. 이것이 남미에서 나타나는 현상이다.

바로 이 문제를 해결해야 하는 것이 기독 정당의 몫이다. 성경을 읽는 것이 중요하다.

인간 개개인의 수명이 짧다는 것은 그래서 큰 축복이다. 만약 인간 수명이 천년씩 된다면 이는 큰 재앙이다. 나무가 천년을 사는 것은 주변에 유익이지만, 불의한 죄인이 천년씩 사는 것은 큰 재앙이다. 그래서 하나님께서 노아의 홍수 이후로 인간의 수명을 대폭 줄이신 것으로 보인다.

하나님께서는 인간이 이 땅을 떠날 때 아무 것도 가지고 가지 못하게 하셨다. 만약 가지고 갈 수 있었다면 지구는 이미 더 이상 존재할 수도 없었을 것이다. 그래도 여전히 살아있는 인간은 자신의 죽음의 확실성을 깨닫지 못하고 헛된 짓을 계속하다가 죽는다. 이를 다루는 것이 정치여야 한다.

71. 천국의 소유권 문제는?

하나님의 마음에 합한 사람들, 예수 그리스도의 피로 거듭나서 천국에 들어간 사람들의 천국 생활은 어떨까? 그리고 그 소유 형태는 어떻게 될까? 서울 대형교회의 부자 장로들처럼 소유권을 누리고 살까?

72. 여호와께서 보시기에 정직하고 선량한 일을 행하라

저는 정치를 하면서 여호와껫 보시기에 정직하고 선량한 일을 행하는 일에 실패했습니다. 죄인입니다.

신명기 6장 18-19절에서 하나님보시기에 정직하고 선량한 일을 행하라고 모세께서는 이스라엘에게 명령하십니다. 가나안 땅에 들어가 정직하고 선량한 일을 행하라 명령하십니다. 하나님께서 이스라엘에게 가나안 땅을 주신 것은 바로 이런 뜻 때문이었는데, 이스라엘은 이에서 실패했습니다.

예수님께서 십자가에서 우리를 구원하신 것도 바로 이런 뜻 때문인데 많은 그리스도인들이 이렇게 사는 일에 실패합니다.

저도 그런 죄인입니다.

기독 정당이 만들어져야 하는 이유는 여호와께서 보시기에 정직하고 선량한 일을 행하기 위함입니다. 세상의 어떤 정당들보다 더 정직하고 선량한 일을 많이 행해야 합니다. 이것이 하나님의 영광을 높이는 일이고, 사람들을 사랑하는 일입니다.

73. 성매매 포주가 도덕적 성생활 시민단체 대표라면?

우리는 다 예수님의 십자가의 피로 구원받아야 할 죄인들이다. 십계명 중에 어떤 계명을 지켰다 할지라도 또 다른 계명을 어긴다면 당연히 죽어야 할 죄인이다. 그럼에도 불구하고 자신이 주장하는 바의 전혀 반대점에 서 있으면서 자신의 죄를 가리기 위해 위선적인 활동을 한다면 이는 더 큰 죄를 짓는 결과를 가져온다.

성매매업주가 그것을 포장하기 위해, 도덕적 성생활 운동 협회라는 단체를 만들어 그 대표를 맡는다면 이는 가증한 일이다.

그러나 성매매업주라도 자신이 성매매 업주를 그만두고서 성매매 여성 권리 보호 운동을 하거나 마약 퇴치운동을 한다든지, 길거리 담배꽁초 줍기 운동을 한다면 그것까지 무어라 할 수는 없지 않겠는가!

국민들에겐 임대아파트 사는 것도 괜찮다고 이야기하면서, 자신은 강남에 아파트를 구입해서 많은 시세 차익을 보고 있다면, 그리고 그것도 아예 이제는 임대아파트 정책의 수장에 올라서 그렇다면, 이는 가증한 일이다. 대한민국의 불행은 바로 이런 가증한 자들이 권력을 장악하고 있다는 데 있다.

74. 하나님을 경외하는 정당이 필요한 이유

부활하신 예수님을 만나서 말씀을 듣게 된 감격 속에서도 제자들의 초미의 관심사는 이스라엘 나라를 이제 회복해주시는 문제였다. 로마로부터의 해방, 완전한 국권 회복, 다윗과 솔로몬 시대의 영광의 회복을 그들은 간절히 바라고 있었다. 그런데 예수님은 그들에게 그 때는 아버지께서 자기의 권한에 두셨으니 그들의 알 바가 아니요 오직 성령이 그들에게 임하시면 권능을 받고 예루살렘과 온 유대와 사마리아와 땅 끝까지 이르러 예수님의 증인이 되리라 하셨다. 증인이 되어라 하신 것이 아니라 되리라고 하셨다.

이제 이스라엘은 1948년에 회복되었고, 예수님의 제자들은 대부분 순교하면서까지 예수님의 증인이 되어서 이스라엘의 땅 끝인 대한민국에까지 복음이 전파되어 우리가 예수는 그리스도이심을 믿게 되었다.

이제는 우리가 이스라엘의 회복의 사명이 있음을 보게 된다. 예수님의 제자들이 피를 흘려 예수의 증인이 되셨으니 이제 우리는 이스라엘의 정치적 회복을 완전하게 이뤄드려야 할 의무가 있게 된다.

이는 대한민국에서부터 시작이다. 임마누엘이 다스리신다고 선포하는 정당. 공의 정치 하나님 경외 정치를 외치는 정당. 이스라엘의 왕들에게 주어진 소명, 즉 성경을 읽고 묵상하고 깨달은 바를 실천하는 정치적 소명이 우리에게서 펼쳐지리라. 이는 원해서 되는 것도 아니고 우리에게서 이뤄질 때가 되었고 이뤄질 것이다.

베드로가 젊어서 마음대로 띠 띠고 다녔지만 나중에는 사람들에게 끌려 다닌다고 하신 것처럼, 우리도 원해서 하나님 경외 정치를 하는 것이 아니라 이끌려서 하게 되리라.

예수님의 제자들은 성령을 받았고 여러 나라의 방언을 하게 되었다. 우리는 성령을 받고 다윗처럼 정치를 하게 될 것이다.

사도행전 1장 16절에서 바로 다윗의 성령이 주시는 말씀을 입으로 미리 말씀하신 성경이 응하였다고 하시는 바에서 잘 알 수 있다. 제자들에게 임하신 성령은 인류 역사상 처음 일어난 일이 아니었고, 예수님의 부활 후에야 일어난 일이 아니었다.

하나님의 성령님은 예수님께서 오시기 전에도 왕들에게 사사들에게 그리고 선지자들에게 지속적으로 임하셨다. 이 성령을 예수님의 제자들도 받게 되었고 그들은 예수님의 증인이 되었다.

누구는 성령을 받고 예언하고 누구는 성령을 받고 병을 고치고, 방언을 한다. 이젠 성령을 받고 정치를 할 사람들이 일어나야 할 때이다. 이는 역사적으로 오랫동안 반복된 일이다. 사무엘이 다윗에게 기름 부으시자 다윗은 성령 충만한 사람이 되어서 전쟁터에서 골리앗을 이기고, 이스라엘의 왕이 되었다. 이스라엘의 회복을 이루어내었다.

사무엘이 성령 충만함을 받고 하나님의 선지자와 제사장이 되었다면, 다윗은 성령 충만함을 받고 이스라엘을 정치적으로 섬기는 사람이 되었다. 이방의 왕들처럼 군림하는 왕이 아니라 섬기는 정치를 하게 되었다. 성령이 임하시지 않으면 이는 결코 이루어질 수 없는 정치다.

성령이 그 당원들에게 임하신 정당이 이젠 일어나야 한다. 다윗과 그의 사람들이 블레셋에게서 이스라엘을 회복한 것처럼, 이젠 하나님의 사람들, 하나님을 경외하는 사람들이 뭉쳐서 정당을 세우고, 하나님의 말씀을 따라, 예수님의 만왕의 왕 되심을 선포하면서 공의 정치, 하나님 경외 정치를 사무엘하 23장 말씀처럼 실현하게 되리라. 바로 그 때에 우리가 이 사명을 받게 되었다고 본다.

이스라엘에도 임마누엘이 다스리신다고 선포하는 정당이 세워져야 하고, 중국에도 세워져야 하고, 일본에도 세워져야 한다. 세워지게 되리라.

당연히 미국에도 남미에도 세워지리라. 그리고 왕들, 즉 대통령과 국회의원과 지방자치단체장들이 나오리라.

우리 아리랑당 창추위는 바로 그러한 정당을 만들고자 한다. 아브라함의 후손 중에서 왕들이 나오리라고 말씀하신 바가 우리를 통해서도 이루어질 것이다. 누가 아브라함의 후손인가. 아브라함의 믿음과 행함이 있는 사람들이다. 돌들로라도 아브라함의 후손은 만들어질 수 있다.

사람들은 흙에서 왔다. 하나님의 생령이 임하셔서 사람이 되었다. 우리에게 성령이 임하시지 않으면 우리는 흙에 불과하다. 이제 흙에 불과한 정당들이 이 세계 위에 군림하면서 교만한 벨사살처럼 하나님의 성전의 잔들로 잔치를 벌이는 일을 놓아두어선 안 된다.

나서서 벨사살을 제거하고 하나님의 나라를 하나님의 의를 이루어내어야 한다. 하나님을 대적하는 모든 대적들과 선거에서 싸워 승리해야 한다.

요한계시록에 나오는 세세토록 주님과 함께 왕 노릇하는 일이 우리를 통해 이루어지리라. 다시 밤이 없겠고 등불과 햇빛이 쓸 데 없으니 이는 주 하나님이 그들에게 비치심이라 그들이 세세토록 왕 노릇하리로다.(요한계시록 22장 5절)

페이스북, 구글, 아마존, 마이크로소프트 등의 플랫폼을 활용하여 전세계가 정보활동을 하듯이, 이제 irparty.com 의 정치 플랫폼을 활용하여 각국의 하나님 경외 정치인들이 집권하고 정당 공조를 통해 하나님의 나라와 하나님의 의를 이 땅 가운데 이루어드리는 일을 해내게 되리라.

75. 기독 정당의 여러 위험성에 대한 답

1. 기독교 패권주의가 될 수 있다는 위험성에 대해.

 이는 스스로를 알지 못하는 오해에서 나오는 생각이다. 하나님은 누구와도 영광을 나누시지 않으신다. 모든 나라는 하나님의 주권을 인정해야 하고, 특히 정치인들은 그러하다. 사람들이 그러하지 않을지라도 이는 변할 수 없다. 하나님께서 창조주이시고 만물의 소유주이시기 때문이다. 기독교가 패권주의가 아니라, 하나님의 패권은 영원불멸이시다.

 다만, 기독 정당을 표방한다고 하나님께서 그들을 인정하시는가의 문제는 별개라는 것을 잘 알아야 한다. 성경을 조금만 읽어보았다면 따라서 이런 오해는 없을 것이다. 이스라엘의 열왕들이 잘못할 때 그들이 어떻게 비참하게 그 자리에서 쫓겨났는지를 잘 알아야 한다.

2. 하나님의 영광을 가릴 위험성

 기독 정당이 하나님의 뜻을 제대로 행하지 못해서 하나님의 영광을 가릴 가능성이 많으므로 기독 정당을 만들지 말아야 한다고 하는 사람들이 있다.

 이는 한 달란트를 땅 속에 묻어두었다가 꺼내온 사람과 같은 태도이다. 그런 논리라면 교회도 세워선 안 된다. 교회도 하나님께 많은 비방을 가져오는 일들을 해왔기 때문이다. 이런 논리라면 이스라엘이라는 나라도 세워져서는 안 되었다. 이스라엘로 인해 하나님께서 받으신 모욕이 크시기 때문이다. 이는 하나님의 문제, 또 하나님을 앞세운 문제가 아니라, 하나님의 뜻대로 행하지 않은 문제이다.

우리는 도전해야 한다. 먹든지 마시든지 무엇을 하든지 주를 위하여 하고, 하나님의 이름, 예수님의 이름을 사람들과 이방인들 앞에서 두려워하지 말고 선포해야 하는 사명이 우리에게 있음과 아울러 우리는 하나님의 뜻에 부합하게 행동함으로써 하나님의 영광을 드러내야 하는 임무가 있다.

기독 정당으로서 공의 정치, 하나님 경외 정치를 제대로 실현해낼 수 있다면 이는 세상에도 큰 도움이 될 것이고, 하나님의 영광을 드러내는 귀한 사역이 될 것이다.

하나님은 우리가 설령 실패한다 할지라도 스스로의 영광을 지키시는 분이시다. 우리를 심판하심으로써 자신의 의를 드러내신다. 이스라엘의 성전이 이스라엘의 죄로 인해 훼파되었다 할지라도 하나님은 그의 의로우신 역사를 계속 하셨다.

대한민국에서나 다른 여러 국가, 특히 아시아에서 기독 정당이 제1당이 되는 것은 결코 쉬운 일이 아니며 급하게 이루어질 일도 아니다. 선거에 나가보지 않으면 정치를 알기 어렵다. 1당이 되기 위해선 엄청난 노력이 필요하다. 국회의원 1석을 얻는 것도 아주 어려운 일이다. 새 술은 새 부대가 필요하다. 부패한 정치 지형에서 새 술과 새 부대가 필요하다. 세월이 필요하다. 그래서 한 알의 작은 밀알부터 시작해가야 한다.

하나님께서 기뻐하신다면 기독 정당을 더욱더 왕성하게 키워주실 것이다. 그러나 하나님의 뜻에 부합하지 않는다면 르호보암과 여로보암의 길로 가게 될 것이다.

3. 타 종교와의 갈등 문제.

이를 염려한다면 교회도 세우지 않아야 한다. 교회는 세우면서 왜 정치 현장에서 하나님 중심, 말씀 중심의 정치를 하는 것은 타 종교와의 갈등을 염려해야 하는가!

하나님이 진리가 아니시고, 성경이 진리가 아니라면 신앙생활도 그만두어야 한다. 하나님은 교회 안에만 계신 분이 아니시다. 만왕의 왕이시다. 그러니 당연히 만군의 여호와의 이름을 앞세우고 정치하는 사람들이 필요하다. 다윗은 골리앗 앞에 그렇게 나아갔다.

중요한 것은 타종교와의 갈등이 아니라, 정치 현장에서 우리의 외침이 진리인가 하는 점이다. 하나님께서 모든 권력의 주인이시다고 외치는 일이 비진리라면, 하나님께서 만왕의 왕 이시다고 외치는 것이 거짓이라면 외치지 말아야 한다. 그런데 교회 안에서, 예배 중에서는 외치는 이 문구들을 왜 정치 현장에선 외칠 수 없는가!

우리가 눈치 보아야 할 분은 하나님이시지, 타종교인 들이 아니다. 악한 일을 하는 것이라면 당연히 타종교인 들의 눈치를 보아야 한다. 하나님의 영광을 가리는 일이기 때문이다. 그러나 그것이 옳다면 천만인이 둘러칠지라도 깨치고 나아가야 한다. 베드로의 고백이다. 사람의 말을 듣는 것이 옳은가 하나님의 말씀을 듣는 것이 옳은가!

중국과 북한은 정치 현장에서 그 지도자의 영광을 드러내는 데 아무런 거리낌이 없다. 그런데 왜 기독인들이 정치 현장에서 하나님의 영광을 드러내는 데 있어서 고민을 하고 있는 것인가!

우리는 달란트가 다 다르다. 누구는 의료 선교를 해야 하고, 누구는 아프리카 선교를 해야 하고 누구는 빈민 선교를 해야 한다. 그런데 누구는 정치 선교를 해야 한다. 이는 정당을 만들지 않고선 불가하다. 기존 정당들에 편입되어 들어가는 것은 한계가 있다. 그 당들이 하나님을 중심에 두지 않기 때문이다.

정치는 철저히 이념 중심이고, 정책 중심이다. 그런데 이 이념과 정책에서 성경과 하나님은 배제 불가이다. 그러므로 정당 정치에서 하나님을 전면에 내세우지 않는 정당에서 기독교인이 움직이는 것은 언제나 한계가 있다. 그래서 다니엘과 세 친구도 여러 차례 한계에 봉착했다.

이스라엘이 망했기 때문에 이 분들은 포로로 끌려갔고 이방 나라에서 슬픔 가운데 이런 한계에 끊임없이 봉착했다.

예수님의 제자들조차도 이스라엘 나라의 회복의 때가 초미의 관심사였다. 기독 정당을 세우지 않고 공의 정치 하나님 경외 정치(사무엘하 23장 중)를 실현하기란 불가능하다.

느헤미야, 에스라는 성전과 예루살렘의 재건을 위해 큰 고통을 겪었다. 결코 이방 국가의 녹을 먹는 것에 안주하지 않았다. 모세도 이집트 왕자에 기뻐할 수만은 없었다.

기존 정당들에서 높은 자리에 오르고, 설령 대통령이 된다 할지라도 어찌 거기에 만족할 수 있겠는가!

마음껏 하나님을 찬양하고 하나님의 뜻을 구하고 실천하는 정당이 필요한 이유다. 그리고 그렇게 했을 때 믿지 않는 사람들이 표를 주지 않는다면 어쩔 수 없는 일이다. 다니엘의 세 친구가 불구덩이로 들어가듯이. 하나님께서 계속 선거에 떨어뜨리실지라도 선거 현장에서 정치 현장에서 하나님을 높이고 하나님께서 주시는 지혜를 외치는 일이 사명인 사람들이 있을 것이다.

성경에 등장하는 많은 인물들이 정치인이었음을 기억해야 한다. 심지어 자기 나라의 주권을 잃고 포로가 되어 이방 나라에서 정치를 하면서도 이들은 그 주권자 앞에서 감히 하나님의 주권을 선포했다. 불구덩이와 사자 굴로 들어갈지라도.

예수님의 십자가 위에는 유대인의 왕이라는 죄명이 붙었다. 그가 유대인의 왕이 아니셨다면 그렇게 십자가에 달리시지 않으셨을 것이다. 우리의 죄를 대신해서 돌아가신 하나님은 바로 유대인의 왕 예수 그리스도이시다. 이 신비를 깊이 묵상해야 한다.

76. 로마 권력에 의해 십자가를 달리신 예수님은 바벨론을 벌하시던 하나님의 만국 통치권을 상실 하셨는가

구약의 하나님과 신약의 예수님은 다르신 분이시며, 권력에 대한 태도도 바뀌시었는가!

예수님의 십자가는 죄의 문제를 해결하기 위한 것이니, 이제 기독교라는 종교적 상징물일 뿐인가!

전혀 그렇지 않은데 어찌하여 기독교로 예수님의 십자가가 축소되어버렸는가! 말세에 사람들에게서 믿음을 찾아볼 수 없다 하셨는데 이 말씀이 이루어지고 있다. 하나님을 배반한 이스라엘처럼, 예수님을 배반한 기독교가 되어 가고 있다.

이사야서 53장에서 정확히 예언되어 있다. 예수님은 자기 백성의 허물을 대신하여, 우리의 죄로 인하여 십자가에서 돌아가셨다. 빌라도에 의해 고난 받고 심문받으시고 십자가에 달리셨지만 이 모든 일은 이미 예언되어진 것이다.

예수님은 빌라도에게 정확히 말씀하셨다. 예수님의 목숨을 구해줄 수 있다고 말하는 빌라도에게 예수님은 자신이 당한 이 모든 일이 하나님께서 하시는 일임을 말씀하셨다.

빌라도는 자신의 권력으로 그 일을 할 수 있다고 착각했지만, 만왕의 왕이신 예수님, 하나님이신 예수님은 빌라도를 파견한 로마조차도 하나님께서 허락하신 권력임을 말씀하셨다. 바벨론을 없애신 하나님께서 로마를 잠시 세우신 것이고, 이는 이미 느부갓네살의 꿈을 통해 다니엘이 하나님의 은혜로 해석하신 것이었다.

그런데 가이사의 것은 가이사에게, 하나님의 것은 하나님에게 라는 예수님의 말씀을 오해한 기독교 세계가 하나님의 권력을, 예수님을 권력을 세속 권력에 양보하게 만들었다.

기독교는 잘못된 용어이다. 성경에 그런 단어는 없다. 하나님은 종교의 대상이 아니시며, 실제 만물을 창조하신 권력자이시다. 그 분의 권력과 그 분의 왕 되심과 그 분의 아버지 되심 앞에서 그 분을 경외하며, 그 분의 말씀을 따라 사는 것이 우리의 의무이고 기쁨이다. 이는 결코 종교가 아니고 삶이다.

77. 예수님은 종교 수장이시고, 다윗은 정치적 수장이신가

예수님은 왜 유대인의 왕이냐고 여쭤보는 빌라도에게 네 말이 옳도다(누가복음 23:3)고 하셨고, 요한복음에서는 빌라도 스스로가 그렇게 하는 말이냐 아니면 다른 사람들이 예수님에 대하여 빌라도 너에게 하는

말이냐고 오히려 되물으십니다.(18:33-34)

복음서마다 약간 다르게 표현되고 있고, 또 그런 다른 표현들을 통해서 여러 단초를 찾을 수 있습니다.

그런데 놀라운 것은 결국 빌라도는 예수님을 유대인의 왕으로서 인정하고 있는 것에 비해서 유대 지도자들은 예수님을 놓아주려고 하는 빌라도에게 자신들의 왕은 가이사라고 말하며 자기를 왕이라 하는 자는 가이사를 반역하는 것이라고 빌라도를 협박합니다.

예수님은 자신을 죽이려는 헤롯에 대해서도 여우라 하셨고, 빌라도를 향해서도 자신을 빌라도에게 넘겨준 자들의 죄가 빌라도의 죄보다 더 크다고 하심으로써 빌라도의 무죄 가능성을 일축하셨습니다.

그러면 예수님의 본질은 정치적인 메시아인지 아니면 종교적인 메시아인지 생각해보아야 합니다. 많은 신학자들이 여기서 후자를 택하는 경우가 허다합니다. 많은 목회자들도 그렇게 설교합니다.

그 근거로 요한복음 18장 36절을 인용합니다. 예수님은 자기 나라가 이 세상에 속한 것이 아니라고 하셨기 때문입니다. 그 나라는 결국 하나님의 나라이고, 하나님의 나라는 천국이니 당연히 예수님은 종교적 메시아라고 결론 내립니다.

그러나 요한복음 19장 11절을 보면 다시 생각해보아야 할 사항이 있습니다. 예수님을 놓아줄 권한도 있고 십자가에 못 박을 권한, 즉 그러한 정치적 법적 권한도 있다고 말하는 빌라도에게 예수님은 그 권한이 위에서 주시지 않으셨으면 예수님을 해할 권한이 없다고 말씀하십니다.

결국 예수님을 십자가에 못 박는 것은 악한 행위이며, 그 악한 행위조차도 빌라도의 상관되시며, 가이사의 상관되시는 위에서 허락하셔서 가능한 일이다고 말씀하고 계십니다. 즉 빌라도에게 너의 상관은 정치적으로 법적으로 하나님이심을 선포하고 계십니다.

많은 사람들이 하나님에 대해 이중적 태도를 취하고 있습니다. 정치적으로 법적으로 불리할 때는 하나님을 종교적으로 몰아가서 스스로 십자가를 피하면서, 오직 교회 안에서 하나님은 만왕의 왕이시다고 선포합니다. 그러나 예수님은 정치적, 법적으로 불의한 일을 당하시는 상황 가운데서도 하나님은 왕이시다고 선포하십니다.

다윗은 자기를 왕으로 세우신 분이 하나님이시다고 미갈에게 선포합니다. 그래서 자신은 하나님 앞에서 아무리 낮아져도 옷이 벗겨지도록 춤출 수 있다고 말합니다. 그러나 미갈에게는 권위로서 대하겠다고 선포하셨습니다.

다윗은 자신의 정치적 권위의 근거를 종교적으로 포장한 것이 아니라 실질적으로 하나님의 정치적 권위를 선포했습니다. 미갈은 하나님의 종교성과 다윗의 정치성을 구별하려 했습니다.

오늘날 이런 위선적이고 가증한 미갈적 태도로 하나님을 이용하고 정치를 이용하는 사람들이 많습니다. 그리고 아무런 거리낌 없이 그렇게 설교하는 자들도 많습니다. 미갈이 선지자 노릇을 진정한 선지자 다윗 앞에서 하고 있는 모습과 흡사합니다.

다윗은 왕이었습니다. 그러나 그는 선지자였다고 표현되기도 합니다. 다윗처럼 많은 글을 성경에 올린 선지자도 없다고 볼 수 있습니다. 솔로몬도 성경의 주요 저자 중 한 분이십니다.

이원론적 세계관보다 더 심각한 문제가 정치와 하나님을 분리하는 것이며, 정치적 지도자로부터 하나님 섬기는 일을 분리하는 일입니다.

육체의 떡과 영혼의 떡 모두 하나님께로부터 오는 것이며, 종교적 수장과 정치적 수장 모두 하나님이십니다.

그러면 정교 분리의 헌법적 원칙은 어떻게 볼 수 있는가? 종교 지도자가 정치 지도자의 일을 겸직하는 것은 잘못된 것입니다. 그러나 정치적 지도자가 하나님을 섬기는 일을 그 본질로 삼는 것은 당연한 일입니다. 하나님은 최고의 정치적 지도자이시기 때문입니다.

북한 김정은에게서 보이는 최고 존엄이라는 표현은 정치적 지도자들이 어떻게 자신을 신격화하는지 잘 보여줍니다. 수많은 정치적 지도자들이 스스로를 신의 경지에 올리려 했습니다.

그러나 다윗은 자신을 신의 경지에 올린 것이 아니라 신을 섬기는 종으로 이해했습니다.

많은 종교지도자들도 자신을 신격화하려는 우를 범합니다. 그래서 바울은 자신의 옷을 찢어버렸습니다.

사울은 직접 제사를 드리려다가 그 왕의 자리를 빼앗기게 됩니다. 정교 분리의 원칙은 정치 수장이 종교적 예배의 주관자의 역할을 동시에 해선 안 된다고 이해해야 하는 것이지, 정치지도자가 하나님을 섬겨선 안 된다고 이해해선 안 되는 것입니다.

하나님 외에는 어떤 종교적 대상도 신의 자리에 갈 수 없습니다. 다윗이 위대할까요? 부처가 위대할까요? 당연히 다윗입니다. 부처는 성경 저자에 오르지 못했습니다. 부처보다 위대한 다윗이 하나님의 법궤를 모셔올 때 옷이 벗겨지도록 춤을 추었습니다.

부처는 하나님을 섬겨야 합니다. 속히 불교가 하나님께 돌아와야 합니다. 그러나 이것이 현재의 기독교라고 말할 수만은 없습니다.

그것은 하나님만이 판단하실 일이지만, 또 교인에 대하여는 판단할 권이 있다고 말씀하신 바울의 태도로 볼 때 합당합니다.

불교는 속히 성경을 묵상하는 일에 전념해야 합니다. 예수님의 제자들을 잡아 죽이러 다닌 사울이 변하여 예수님의 증인과 제자로 살아간 것처럼, 많은 불교 승려들도 속히 성경을 묵상하고 하나님을, 예수님을 만나야 합니다.

그런데 하나님을 섬기는 사람이 절에 가서 불상에 물을 붓고, 예를 표하는 것은 옳지 않은 일입니다. 다윗이라면 그렇게 하셨겠습니까! 다니엘이라면 그렇게 하셨겠습니까!

예수님에 대해 수없이 들은 한국 불교가 아직도 예수님을 주로 섬기지 않는 것에 대해 이미 돌아가신 부처는 어떻게 생각하고 계실까요? 종교적 분쟁의 문제가 아니라 진리의 문제이고, 이는 빌라도에게 예수님이 하신 말씀으로서 이해됩니다.

득도는 성경을 묵상함으로써 달성할 수 있습니다.

빌라도가 이르되 그러면 네가 왕이 아니냐 예수께서 대답하시되 네 말과 같이 내가 왕이니라 내가 이를 위하여 태어났으며 이를 위하여 세상에 왔나니 곧 진리에 대하여 증언하려 함이로라 무릇 진리에 속한 자는 내 음성을 듣느니라 하신대 빌라도가 이르되 진리가 무엇이냐 하더라(요한복음 18장 37-38)

저 김광종은 예수님의 십자가를 필요로 하는 죄인으로서 정치인입니다. 공의와 하나님 경외는 정치의 두 근간입니다. 정치의 본질은 종교가 아니라, 하나님 경외이며, 공의입니다.(사무엘하 23장)
열왕기서와 역대서는 이를 증명하고 있습니다.

예수님은 수많은 삶의 현장들을 찾아다니시면서 많은 사람들을 만나시고 말씀을 가르치심으로서 진리를 설파하시고 병을 고치시고 귀신을 내쫓으셨습니다.

정치의 본질은 진리입니다. 그래서 정치 지도자는 진리를 깨달은 사람이어야 합니다. 느부갓네살이 진리를 깨닫지 못하자 소가 되었고, 벨사살은 암살당했습니다.

예수님은 진리이시며, 성경이 그에 대해 말씀하고 계십니다. 그러니 불교 승려들이 성경을 묵상하고 예수님을 알아야 합니다. 그래야 영생을 얻을 수 있습니다.

정치 지도자의 가장 큰 업무는 종일토록 하나님의 말씀을 묵상하고 지키는 일입니다.(여호수아 1장) 그의 정치는 공의를 행하는 일이며 하나님을 경외하는 일로써 이루어져야 합니다.(삼하 23장 3-4)

78. 억지로 임금 삼으려는 사람들을 피해가신 이유에 대한 오해

예수님이 왕이 아니셨기 때문에 그러하신 것이 아니라, 이미 왕이시고, 이미 임금이셨기 때문에 그러하신 것이다.

하나님은 만왕의 왕이시다.

당시의 사람들에게 필요한 것은 이런 이해였고, 이런 고백이었다. 그래서 예수님은 빌라도 앞에서 자신의 빌라도에 대한 권력을 말씀하셨는데, 빌라도는 그것을 이해하지 못했다.

예수님을 십자가에 못 박을 권력은 빌라도에게 있는 것이 아니라, 이를 그에게 허락하신 하나님께 있는 것이고, 그 하나님이 바로 예수님이셨다.

백성들이 잘못된 생각으로 왕으로 삼으려했기에, 그들의 예수님의 시간 스케줄에 따른, 사역의 스케줄에 따른 피함이셨을 뿐이다.

그런데 많은 목회자와 신학자들이 이를 세상 정치에 대한 원거리 두기로 오해한다.

하나님께 중요한 것은 하나님의 왕 되심을 드러내심과 세상 정치의 불의함을 교정하시는 것이었다. 그런데 많은 교회가 세상 정치의 불의함에 대하여 침묵한다. 그 댓가로 부정한 안락을 누린다. 예레미야, 느헤미야, 다니엘, 세례 요한, 예수님, 그리고 제자들도 이 세상 권력의 불의함을 지적하다가 큰 고난을 당하셨다. 그러나 교회는 이 고난을 피한다. 조찬기도회를 통해서 오히려 세상의 불의한 권력과 공존한다.

79. 예수님은 왜 민족반역자로 여겨지는 세리를 제자로?

이스라엘이 로마의 간접 통치 가운데 있는 상황에서 세리를 보는 백성들은 그를 민족 반역자로 보았을 것입니다. 그런데 왜 예수님은 그런 사람인 마태를 12 제자 중 하나로 쓰셨을까요?

다니엘도 이스라엘을 점령한 왕국들의 신하가 되었습니다. 오늘날로 보면 친일파 아닐까요? 그러나 다니엘은 전혀 이완용과 다릅니다. 혹시 또 모릅니다. 이완용도 다니엘 같은 마음을 품었을 지도요.
다니엘은 바벨론의 점령이 70년이고, 그 이후엔 다시 하나님께서 이스라엘을 회복하실 것을 믿었고, 그 점령기는 이스라엘의 징계시기로 보았기 때문입니다.

하지만 이완용 등 친일파들은 영구적으로 이 나라가 사라지길 바라지 않았을까요. 오늘날 토착 왜구들도 그렇지 않을까요?

 예수님께도 로마의 점령기는 한정적이고, 이스라엘의 회복은 반드시 오는 일이었고 그 일을 결정하시는 하나님의 아드님이셨습니다. 베드로와 열두 제자의 관심은 이 시기였습니다. 바벨론이나 로마나 다 똑같습니다.

 마태의 죄는 예수님께서 십자가에서 지신 인류의 죄 가운데 하나였습니다. 민족 반역죄, 횡령죄도 모두 거기에 들어가는 죄입니다. 예수님의 열두 제자 모두 죄인이었습니다. 그래서 베드로는 예수님 앞에서 죄인이다고 엎드러졌습니다.

 그러나 서기관과 바리새인들은 스스로 죄인이라고 여기지 않았고, 의인이다고 여겼고 오히려 예수님을 죄인이라고 몰아갔습니다. 마태는 그렇게 예수님의 제자가 되었습니다. 스스로 죄인이다고 아는 제자였고, 예수님을 통해 하나님의 나라를 본 것은 다니엘과 같았습니다.

80. 요셉의 감옥 생활은 총리 준비 시간

 노예로 끌려간 요셉인데 하필 경호대장의 집으로 가게 되고, 거기서 제반 사무를 보게 되면서 행정의 기초를 다진다. 그런데 보디바알의 부인 건으로 이제는 그곳의 감옥으로 가게 된다.

 요셉으로서 보면 크나큰 불행이지만, 하나님께서는 이보다 더 좋은 교육 기관이 없다고 보셨다고 본다. 요셉이 만약 보디바알 부인의 애인이 되었다면 그는 처음엔 감옥에 가지 않았겠지만 하나님께서 그를 떠나시고 그는 비참한 죽음으로 끝났을 것이다.

그러나 요셉이 정의를 따르자, 즉 좁은 문을 통과하자 이제는 더 큰 기회가 주어졌다. 행정 연수원 같은 감옥이었다. 거기엔 왕의 죄수들이 들어왔다. 잡범들이 아니라 정치범 수용소였다. 그들은 고관대작들 출신이었다. 그들을 관리하게 된 요셉은 그들로부터 많은 정보를 얻을 수 있었을 것이다. 인맥도 확보했고, 일처리 방식, 애굽 전체에 대한 지식을 얻어갔다고 본다.

결정적으로 술 맡은 관원장의 꿈을 해석했지만, 그러고도 그는 2년을 더 감옥에 있었다. 이제는 바로가 요셉을 직접 필요로 하는 상황을 하나님께서는 만드셨다. 바로가 그런 심각한 꿈을 꾸지 않았다면 요셉을 부를 일도, 그를 신뢰할 일도, 그에게 총리 자리를 줄 일도 없었을 것이다.

하나님은 쓰리쿠션의 대가이시다고 본다. 이 일을 통해 결국 이집트 경제 개혁도 하지만, 이스라엘의 양적, 질적 성장 그리고 타락한 가나안으로부터의 분리도 이루어낸다.

하나님의 정치와 사람의 정치가 이렇게 밀접하게 돌아간다. 오늘날도 하나님의 정치 사역은 이런 방식이 계속되고 있다고 본다. 하지만 분명히 알아야 할 것은 하나님의 정치는 사람의 정치의 악함을 그냥 놓아두지 않으신다는 점이다. 이 점에서 기독인의 책임이 있다. 자신 앞에서 벌어지는 악에 대해서 침묵하면 그 핏값이 그에게 돌아온다고 에스겔서에서 말씀하셨다. 전두환 시절 침묵했던 한국 기독교의 죄악은 크다. 하나님의 생각은 우리의 생각보다 훨씬 더 깊고 넓으시다.

요셉은 잘못한 것이 없었을까? 그가 형들에게 미움을 받은 것은 오로지 형들의 잘못일까? 아니면 아버지 야곱의 잘못도 있었던 것일까?

그리고 왜 2년 더 있었을까? 술 맡은 관원장이 복귀되고서 그의 권력

기반이 다시 든든해지는 데 필요한 시간이기도 했다고 본다. 또 그와 함께 투옥되었던 세력들도 함께 복귀한 시기이기도 하다고 본다. 이 사람들은 후에 요셉이 총리로서 일할 때 귀중한 인맥이 되었다고 본다. 2년의 시간이 지나면서 바로는 술 맡은 관원장을 더 신뢰하게 되었을 것이다. 만약 바로가 바로 그 꿈을 꾸었다면 바로는 술 맡은 관원장이 말을 했어도 별로 신뢰하지 않았을 수도 있다. 모든 일에는 적당한 때가 있다. 전도서 말씀처럼.

요셉은 어떻게 그렇게 지혜로울 수 있었을까? 하나님의 은혜이다. 그는 아버지 야곱에게서 많은 교육을 받았을 것으로 보인다. 야곱은 이삭에게서 많은 것을 배웠고, 그가 밧단아람으로 갈 때 이미 70세이었다.

요셉은 야곱과 17년을 같이 있었다. 창세기 1장부터 야곱에게 나타나신 하나님에 대해 야곱으로부터 많이 배웠을 것이다. 야곱은 요셉을 늘 가까이 두고 많은 것을 가르쳐주셨다고 본다. 형들에게 다녀오라고 하였을 때도, 관리를 위해서 보내셨다. 하나님 말씀과 경영. 세상사 등등

요셉은 이미 야곱과 있을 때, 집안의 집사 역할을 했다고 본다. 많은 가족과 재산, 가축들, 식량 등등. 이 모든 것들을 관리하는 방법을 아버지 야곱으로부터 전수받고 있었다고 본다. 야곱도 라반과 있을 때를 생각해 보면 이미 탁월한 관리자였다. 이 능력을 요셉에게 직접 전수해주셨다고 본다.

그 전수가 거의 끝날 때 쯤, 요셉은 17세에 결국 이집트로 유학을 떠나게 된다. 방법이야 형들이 그를 팔아넘긴 것이지만, 이는 아주 소중한 유학이었다. 계속 야곱 밑에 있었다면 배울 수 없는 더 큰 소중한 경험과 교육 기간이 되었다.

보디발 집에 가서 집사로 승격된 것도 야곱의 교육이 이미 되어 있었기 때문이라고 본다. 거기에 매일 매일 함께 하시는 하나님의 은혜, 성령 충만. 지혜는 하나님께로부터 온다. 성결한 사람에게. 야고보서에 나오는 말씀처럼, 위로부터 난 지혜는 성결하다.

81. 경제개혁의 이집트 식과 이스라엘 식, 사회주의식, 헨리조지식

1. 이집트 식.

요셉과 바로의 등장. 바로의 꿈, 요셉의 해석. 그 전의 요셉의 고난. 그 전의 바로의 생명의 위협, 암살 시도. 바로의 요셉에 대한 전적 신뢰. 백성들의 무신뢰.

풍년 칠년에 세율 20%로 축적.

흉년 칠년에 자본, 노동, 토지 몰수. 바로의 소유화. 국가 소유화.

경작권 주고, 20% 수입, 세금이 아니라 이익 공유. 4:1

2. 이스라엘 식.

가나안 칠 부족을 모두 죽이고 새로운 민족이 정착,

처음부터 토지 분배. 가족 단위

경작지의 희년제, 노동의 분배, 노예제 폐지. 무이자제도.

생활수단의 매년 분배. 즉 단기 분배. 생산 수단 중 노동과 자본은 중기, 토지는 장기.

3. 요셉의 성령 충만.

하나님의 영에 충만한 사람. 문제 해결 능력. 그럼 왜 하나님께선 이런 방식의 해결책을 요셉에게 지혜로 주셨을까?

이스라엘 식 분배를 위한, 경제체제를 위한 준비로서의 이집트 경제 개혁. 400여 년간 이러한 종살이 경제 체제에서 이스라엘식 경제체제로의 전환이 가나안 정복과 분배

4. 사회주의 생성과 자본주의 경제 체제에서의 경제 개혁 방향은.

봉건제에서 부르주아 민족주의 체제로 넘어가면서 자본주의가 등장하고 이 체제의 문제로 인해 사회주의 발현. 둘 사이의 투쟁에서 변형된 자본주의의 승리. 그러나 여전히 중국식 북한식 사회주의가 남아서 2의 경쟁으로 전환.

미국과 중국의 양대 진영 투쟁에서 한국과 북한의 경쟁 지속.

이집트 방식을 남한 사회에 적용하는 것이 보다 바람직. 세금으로 국가가 자본 축적 후, 경기 변동을 이용하여 민간의 노동과 자본과 토지 흡수

82. 성경은 하나님의 정치 서적이다.

기독교라는 단어로 축소시킴으로써 하나님의 말씀을 종교적인 것으로 한계 짓는 경향이 강하다. 그러나 성경을 창세기부터 요한계시록까지 주의 깊게 읽어보면 이는 종교 서적이 아니라 정치 서적임을 알게 된다. 하나님의 정치에 대한 다양한 말씀들을 담고 있다.

천지창조가 어찌 종교의 일이겠는가! 이는 실제적인 우리의 기반에 관한 말씀이다. 왕이 그 국토와 국민에 대한 지배력을 가지는 것과 마찬가지다.

이 세계를 어떻게 다스리시는지 잘 나타내고 있는 책이 성경이다. 그리고 각국의 역사를 어떻게 이끄시는지도 잘 나타내고 있다.

아브라함은 믿음의 조상이신데, 그를 통해 열국의 왕들이 후손으로 태어나리라고 말씀하신다. 그리고 이 일은 실제 이루어져왔고, 이루어지고 있다.

세상의 왕들은 자신을 신의 경지로 끌어올리려 한다. 왕이 신이었다. 그러나 하나님께서는 자신을 피안의 신으로 축소하시지 않으시고 현실 세계 정치조차 직접 주관하시는 실질적 왕의 모습을 드러내신다.

그래서 세상의 왕들과 계속 해서 충돌하신다. 이집트의 바로와 충돌도 그런 예이고, 이스라엘 열왕과의 관계에서도 이는 잘 드러난다.

이스라엘을 속국으로 삼은 세계적인 제국들의 왕들과도 충돌하신다. 느부갓네살, 벨사살 등이 그런 예이다. 예수님은 빌라도라는 총독과의 관계 속에서 자신을 유대인의 왕이라 규정지으신다.

요한계시록에서 예수님은 만왕의 왕으로서 자신을 확정하신다. 그리고 예수님의 사도들은 예수님과 함께 왕 노릇하게 된다고 말씀하신다.

그런데 이스라엘이 끊임없이 세속 종교화로 타락했듯이. 지금의 기독 세계도 그러하다. 하지만 하나님은 성전이 담을 수 없는 분이시다. 솔로몬은 정확히 이를 인식했다.

다윗 왕의 많은 글들은 정치인으로서, 왕으로서 경험한 실질적인 왕이신 하나님을 잘 드러낸다.

83. the good news is preached to the poor

가난한 사람들에게 좋은 뉴스가 전파된다고 예수님께서는 메시아의 증거로서 하나로 세례요한에게 전하라고 하셨다. 복음이라고 전해진 이 the good news 가 도대체 무엇을 의미할까?

　오늘날 대한민국과 세계의 기독교계는 이를 잘 이해하고 있는가? 전혀 그렇지 못하다. 가난하게 살고 있지 않은 교계 지도자들이 이 문구를 이해할 수가 없다. 성경을 열심히 묵상해보지 않은 신학자나 목회자나 교인들은 이해할 수 없다. 성령 충만하지 않은 교계 지도자나 교인들은 이 문구를 이해할 수 없다. 생활 수단 마련을 위해, 생산 수단에 필요한 것을 마련하기 위해 고리로 자금을 빌리고 거기에 시달려보지 않는 그들이 이를 이해할 수 없다.

　그래서 결국 예수님 오신 2천년이 지나서 세계에 사회주의 공산주의의 재앙이 퍼졌고 1.2차 대전, 6.25 등의 큰 재앙이 벌어졌고 이것이 다시 극단 이슬람 세력의 발흥까지 불러와서 재앙이 계속 되고 있다. 이제 진정 가난한 사람들에게 좋은 소식, 가난한 사람들이 실질적으로 느낄 좋은 소식이 전해져야 한다.

　이는 성경을 제대로 이해한 성령 충만한 정치인들이 해내야 한다. 교회는 복음을 전해야 한다. 그런데 교회가 복음이 무엇인지 모르고 있다. 메시아는 오셔서 병든 자, 눈먼 자를 고치셨다. 가난한 사람에게 좋은 소식을 전하셨다.

　오늘날 교회는 이런 것을 할 능력을 상실했고, 아예 가져본 적도 없다. 이런 교회에서 배출된 정치인들이 메시아의 제자가 되어서 행할 능력이 전혀 없다. 온갖 짐을 사람들에게 지우면서 자신들은 손가락 하나도 움직이지 않는다는 예수님의 말씀이 오늘날 이뤄지고 있다.

맺음말 1 ; 성경의 역사적 실증성과 정치

무엇에 기반할 것인가? 우리는 성경에 기반해서 정치를 하고자 한다. 그러나 이 성경 자체도 해석의 책이다. 번역의 책이다. 그런데 정치는 항상 해석이고 적용의 문제를 수반한다. 사람은 생각으로 산다. 그 생각은 자신의 것도 있지만 보통은 한 사회나 주변, 혹은 역사적 산물들에 기반한다.

그래서 사람은 생각의 기반을 선택한다. 때론 드라마를 보고, 연예인의 이야기를 듣고, 출연한 의료진과 패널들을 이야기를 듣고, 자신이 읽어본 책을 통해, 그리고 주변 사람의 이야기를 통해 생각하고 거기에 기반해서 행동한다. 그런데 이 기반이 맞는가 틀리는가에 따라 많은 결과가 달라진다. 그래서 신뢰 가능성이 높은 대상에서 나오는 생각을 중요시한다.

성경은 그 스스로를 입증해간다. 긴 역사를 통해 앞에 쓴 말씀이 뒤에 이루어지는 방식을 택한다. 이는 거짓은 결코 할 수 없는 방식이다. 우연히 한 두번 맞을 수는 있지만 긴 역사를 통해, 한 집단이나 국가를 통해 검증되고 실현되는 사실은 진리라고 할 수 있다.

이스라엘의 역사를 통해 성경은 그 진리를 증명하고 있다. 특히 정치적으로 더욱 그렇다. 그래서 우리의 정치의 기반을 성경에 둔다. 그 해석에서 주의하면서.

공산당은 사람들의 책에 기반하고, 자본주의와 자유주의도 그러하지만 우리는 성경에 기반을 둔다 오래 살아남은 것은 진리일 가능성이 더욱 높다.

맺음말 2 ; 예후의 쿠데타, 권력자 살해의 정당성 민주제와 대선

열왕기 하 9장에 보면 쿠데타 이야기가 나온다. 이스라엘의 장군 예후에게 엘리사는 그 제자를 보내 기름 부음을 실행한다.

다음의 말과 같이. "여호와의 말씀이 내가 네게 기름을 부어 이스라엘 왕으로 삼노라 하셨느니라"는 말씀과 함께.

이 일을 실행하고, 그 예언을 외친 제자는 성급히 도망한다.

그런데 이 때 이 제자가 한 다른 예언의 말씀도 있었다. 바로 아합의 집을 치라는 말씀이셨다.

그리고 예후는 이 일을 실행해서 자신이 모시고 있던 이스라엘 왕 요람을 죽인다. 그리고 유다의 왕 아하시야도 죽인다.

사도 바울의 말씀, 모든 권력은 위로부터 온 것이니 순복하라는 말씀을 많은 교회가 전했고, 이를 신사참배에도 이용해서, 일제에 순복하게 만들었다.

나치에 순복한 독일 교회도 이 말씀을 사용했으리라는 것은 자명한 일이다.

그런데 위의 사건은 이런 말씀과 대치되어도 너무 대치된다., 그래서 일제는 구약을 읽지 못하게 했다.

안중근 장군이 이등박문을 죽인 것을 한국 카톨릭의 무텔 주교, 이 사람을 안중근 장군은 민주교라고 부르셨는데, 이 자는 안중근 장군을 살인자로 명명했다.

한국 카톨릭은 일제 시대가 끝날 때까지 안중근 장군을 살인자로 확정했고, 테러리스트로 만들었다. 그리고 한국 카톨릭은 일본 카톨릭의 종이 되어서, 신사참배에 앞장 섰다.

이들은 아마도, 일제가 영원히 한국을 지배하리라고 생각한 것으로 보인다. 마치 유럽 열강이 식민지배를 하던 것처럼.

한국 카톨릭도 조국이 중요한 것이 아니라, 로마 교황청이 더 중요했다.

그러나 안중근 장군은 이들의 행위가 천주님의 뜻과 다르다고 이해하셨고, 깨달으셨다. 안중근 장군이 옳으셨고, 뮈텔과 한국 천주교 신부들이 틀렸다.

최근 김희중주교가 한국 카톨릭의 이런 만행에 대해 참회하셨고, 그러면서 당시 이들 악한 신부들의 말을 따르지 않고 조국 독립을 위해 헌신하신 수많은 평신도들이 계셨다고 하였다.

한국 카톨릭은 평신도 카톨릭이다. 로마 교황청으로 시작한 카톨릭이 아니라, 조선의 선비들, 학자들이 성경을 직접 읽고서, 사서 삼경보다 뛰어남에 감복하여 시작된 카톨릭이다. 로마 교황청과 사실상 관계가 없고, 하느님께서 직접 뿌리를 주신 믿음이다.

개신교도 미국 등에서 전해왔으나, 후에 어린 선교사들의 여러 교만함과 관련해 문제가 있었다.

영국 성공회는 로마 교황청과 결별하고 독자적인 길로 갔고, 영국 왕이 성공회의 수장이 되었다.

한국 카톨릭과 개신교도 연합하여 독자적 기독교로 갈 필요가 있다.

그런데 예후의 쿠데타에서 중요한 것이, 하나님의 명령으로 아합의 집을 친 것이다. 예후 스스로 쿠데타를 일으킨 것이 아니라, 엘리사 선지자에게 임하신 하나님의 말씀을 따라 예후가 쿠데타를 일으킨 것이다.

예후의 쿠데타는 쿠데타가 아니라, 정당한 권력 행위였던 것이다. 즉 사도 바울의 말씀, 모든 권세는 위로부터 주어진 것이라는 말씀이 이루어진 것이다.

그런데 신사참배에 앞장 섰던 한국 카톨릭과 한국 개신교는 이 말씀을 이해하지 못했던 것이다.

하나님께서부터 예후처럼 명령을 받으면, 일왕도 처단해서 죽일 수 있는 것이다. 조선의 왕도 죽일 수 있는 것이다.

안중근 장군의 형제의 고해를 통해 일왕 살해 시도 계획을 듣게 된 외국인 신부가 외국인 신부가 이를 뮈텔 주교에게 알리고 뮈텔이 일제 경찰에게 알려서 수많은 사람들이 고초를 당했다. 이것이 105인 사건이다.

지금의 한국 카톨릭과 한국 개신교는 여전히 신사참배를 진행하고 있다. 대상이 돈으로 바뀌었을 뿐이다.

우리 말로, "분노하라"는 책으로 번역된 프랑스 레지스탕스 출신 유엔 대사였던 에셀의 책에 나오는 내용처럼, 이 세상은 여전히 저항이 필요로 하다.

아직도 저항해야 할 거악들이 존재한다. 개신교는 타락한 로마 교황청에 저항하여 일어나 프로테스탄트들이 만들어냈다. 그런데 다시 이 개신교마저도 또다시 로마 교황청의 길로 타락했다.

저항은 계속되어야 하고, 제거는 계속되어야 한다.

엘리사는 하사엘에게 아람왕 벤하닷을 대신하여 왕이 될 것을 예언하셨고, 하사엘은 이후 자산의 왕 벤하닷을 살해하고 왕이 된다. 그리고 이스라엘에 엄청한 악행을 저지른다. 이것마저도 예언된 일이다.

성경은 자치통감을 뛰어넘는 책이다. 모택동의 혁명 시기 애독서 자치통감은 중국 사회주의, 중국 공산당의 기초서이다.

아리랑당의 기초서는 성경이다.

박정희의 쿠데타, 전두환의 쿠데타에 엘리사 선지자의 예언과 같은 하나님의 명령이 있으셨나는 것이다. 이것이 없으면 이는 강도 행위이다.

지금 이 땅의 부자들은 민주화의 혜택을 독점하고 있다. 희년이 이뤄지는 것을 방해하고 있는 자들이, 카톨릭의 신부와 개신교의 목사들과 거대 정당들과 거대 신문사들이고 방송들이다.

이젠 김어준 조차도 자본의 논리를 내세우면서 고액 연봉을 정당화한다.

한마디로 이 자본주의는 왕을 대체한 또다른 강도들이 장악한 세계가 되었다.

이제 우리에게 예후의 신탁이 이뤄진다면 우리는 이 자들을 치고, 가난한 서민들의 천부적 권리를 찾아주어야 한다.

그것을 북조선까지 확대하고, 일본으로 확대하고, 중국으로 확대하여 공평하고 정의로운 세상을 만들어내야 한다. 이를 방해하는 요람과 아하시야, 벤하닷을 죽이고 그들의 살을 먹어야 한다.

내년 대선에서 우리는 승리해서 이 전쟁의 혜택을 이 땅의 가난한 이들에게, 이 세계의 가난한 이들에게 평화적으로 돌려야 한다.
왕들과 장군들과 장사꾼들의 살을 먹으리라는 요한계시록의 19장의 예언이 우리는 통해 이 천민 자본주의 세계에서 실현될 것이다.

바알의 선지자들이 장악한 카톨릭과 개신교다. 이들은 짖지 않는 개가 되었다. 기레기라고 욕먹는 언론들은 광고클릭수만 늘릴 수 있다면 어떤 짓이라도 감행한다.

이재명은 이것을 잘 알아서, 성남시장에서부터 경기도지사에 이르기까지 엄청난 홍보비를 사용하고 있다.

나는 수도방위사 비서실 시절, 전두환을 살해할 생각을 가진 적이 있다.

어느날, 권병식 사령관 시절이었는데, 갑자기 밤 12시경에 남산에 있던 수방사령부를 전두환이 순시했다.

내무반에서 잠을 자고 있었는데, 갑자기 상황실에서 연락이 와서 비서실 최고참이었던 나만 혼자 비서실로 뛰어올라갔다.

사령관실 당번병, 그리고 비서실장, 사령관.

수방사령관실은 12.12 쿠테타가 일어날 때 총탄이 오갔던 자리다. 선배들이 이를 알려주었다.

나는 그 날, 비서실 불을 모두 끄고 혼자 있었다. 많은 생각이 스쳐갔다. 총 한 정과 총알 몇 개만 준비해두었다면, 저 살인자를 오늘 처단할 수 있을 것인데..

비서실에 있던 과도라도 들고 달려들 것인가도 생각해보았다. 경호원들이 비서실엔 들어오지 않았다. 수많은 민주화 투사들의 피값을 대신 갚아주고 싶었다. 그런데 칼로 일어난 자는 칼로 망한다는 말씀이 생각이 났다. 이 문제는 칼로 해결할 것이 아니라, 진리로, 법으로 해결해야 할 것이라는 생각이 들었다.

그리고 발자국 소리가 낫고, 사령관실로 향했다. 그리고 몇 십분 후 돌아갔다.

사람의 죽음은 하늘이 내려주신다. 안중근 장군이 이등박문을 죽일 때 많은 생각이 스친 것을 안응칠 역사에서 적고 계신다.

나는 81년 서울대 인문대에 입학했다. 그리고 전두환 물러가라고 외치고 투신한 김태훈 선배의 죽음을 5월 27일 도서관 앞에서 내 눈 앞에서 목도했다. 신부가 되려고 했던 다두 김태훈. 그의 죽음이 내 삶으로 들어왔다.

나는 대학 내내 돌 한 번 들어본 적이 없다. 그러나 내 안의 분노는 컸다. 나는 데모대 옆에 서서 그저 최루탄으로 인한 눈물을 흘리며 지켜볼 뿐이었다.

나는 운동권이 아니었다. 윤호중은 운동권이었다.

3학년 때, 과회장이 되었다. 그리고 내 후배들 20여명이 경찰에 체포되어 구속되었다. 나는 지극한 무력감과 미안함에 어찌할 줄을 몰랐다. 당시 나는 한국기독대학인회, ESF 의 관악지구 학생회장이기도 했다. 지금 숭실대의 김회권 교수가 당시 간사였다. 그는 인문대 2년 선배이고, 영문과 출신이다.

나는 무엇이 옳은 것이고, 어떻게 해야 할지 알지 못했다. 헤매이고 또 헤매였다.

그리고 ROTC 합격을 포기한 댓가로 사병으로 학부 졸업 후 군대에 갔고, 춘천 102보를 거쳐 11사단 훈련소를 거쳐 수도방위사 30 경비단을 거쳐 사령부 비서실로 갔고 공관 당번병도 했고, 비서실에서 근무를 마쳤다.

조국은 석사 장교로 6개월만에 군 복무를 마칠 때, 그것도 장교 월급까지 받으며, 나는 6천원 정도 받으며 사병 복무를 27개월간 했다. 그리고 제대 후 갈 곳이 없어서, 잠잘 곳이 없어서, 다시 한국기독대학인회 관악지구 건물에서, 성경 공부가 끝난 장책상 위에서 잠을 잤다. 군은 내게 퇴직금도 주지 않았다. 이런 경험들이 내가 낸 정책들에 다 녹아 있다.

이제 내년 대선을 앞두고 있다. 준비를 최선을 다해 하고 있다. 나는 이미 김태훈 선배와 함께 81년도에 죽었어야 하고, 87년도에 수방사에서 죽었어야 한다. 그리고 96년도에 처음 국회의원 선거에 나올 때 이미 죽음을 각오했다.

이제 대선을 두고 죽음을 각오하고, 살아남은 자의 책임으로 이 길을 간다.

운동권 출신 민주당 윤호중 원내대표의 통장엔 수억원의 예금이 있다. 비운동권 성경 고민 학생 김광종은 2016년에 양심의 가책을 느끼고 모든 집들을 팔고, 그 집들조차 사실은 가난한 사람들에게 무료로 빌려주고 있던 것들이었는데, 이것마저도 팔고, 남은 돈을 가난한 사람들에게 나눠주고, 이젠 카드빚만 조금 남아 있다.

그리고 나는 대선을 준비한다. 안중근 장군께서는 이등박문을 죽이러 가는데, 총알 몇 개 밖에 없으셔서, 여비까지 빌리러 다니신다.

독재 군부가 옳았던 것인지, 운동권이 옳았던 것인지, 침묵한 신부와 목사들이 옳았던 것인지..

나의 삶은 어리석은 행동도 많고 주님 앞에서 죄인의 괴수다. 그러나 한편으로 나의 삶은 저항의 역사다.

85년 6월, 11사단 훈련소에서 너무도 구타가 심했다. 춘천 102보에서는 욕설이 난무했다. 전주에서 출발한 군용 열차는 어머니와 교회 친구 앞을 벗어나자, 군홧발과 욕설이 시작되었다. 그리고 그 군용 열처 좌석 밑으로 기어들어가야 했다.

신성한 국방의 의무를 수행하러 떠나는 장병들을 이렇게 대하는 개들이 대한민국의 군대였다. 일제 군대에게서 너무도 못된 것들을 배웠다.

대한민국 군에는 훌륭한 분들도 많다. 그러나 기본이 잘못 되어 있다.

춘천 102보에서 병력 분류 장병이 끊임없이 우리를 향해 욕을 퍼부으면서 명령을 내렸다. 그래서 내가 일어나서 반론을 제기했다. 욕하지 않아도 잘 들을 터이니, 존중해달라고 말했다.

그러자 그 병장은 나를 튀어나오라고 했다. 그리고 한 대 때리려다가 나에게 "그런 식으로 군대 생활해봐라 이 **야" 라고 하고 들어가라고 했다.

내 동기들, 대부분 나보다 어렸다. 나는 대학을 졸업하고 왔고, 이들은 대부분 1,2학년을 다니다 왔다.

이들은 나를 의아해했다. 군은 당연히 그런 곳이라 생각했다.

그리고 11사단 훈련소. 이 곳은 공포의 구타가 시작되었다. 욕도 무지막지했다.

나는 중학교 때부터, 태권도 선수 훈련을 받았다. 군대 훈련은 아무 것도 아니었다. 그 태권도 훈련을 전주 오도관에서 받을 때, 욕설 한번 듣지 않았다. 그저 훈련은 훈련이었다. 전국소년체전에 출전하라고 사범님들이 추천하실 정도로 나는 운동을 잘 했다.

옆에는 복싱 도장도 있었다. 고교 때는 유도도 배웠다. 나는 격투기에 능하다. 사람들이 내가 그런 것을 잘 모른다.

아무튼 이런 훈련소에서, 어느 날 대대장이 오셔서 나는 할 말 있는 사람 해보라고 하셔서, 일어나서, "욕하지 말고, 구타하지 않으면, 더 열심히 우리들이 훈련 받을 터이니 인간적으로 존대해주십시오"라고 말쓰드렸다.

동기 애들은 내가 또 사고를 쳤다고 생각했고, 군대 폭력 문화에 적응하지 못하는 사람이고, 나를 세상에서 가장 멍청한 사람이라는 표정으로 쳐다 보았다.

그리고 "자네 군기가 덜 들었구만" 이라고 말씀하신 대대장이 가신 후, 불려 나갔고, 동기애들 앞에서, 소대장에게 군홧발로 채이고 나둥그라졌다.

그 때 한 녀석이, 전주의 후배 애가 있었는데, 나한테 와서 욕을 했다. 나 때문에 더 힘들어지게 되었다는 것이다. 그 팀이 수방사에 착출된 팀이었는데, 애들은 서로 수방사로 가려고 했다. 그 후배 애는 내가 그 팀에서 탈락할 것이라고 생각하고 나를 막 대했던 것이다.

그런데 후에, 내가 비서실 고참으로 있을 때, 이 애가 33단 전령이 되어서 사령관님 일정 문서를 받으러 비서실에 왔다가 내가 비서실에 앉아 있는 것을 보고서 깜짝 놀라서 아무 말도 못하고, 군기가 바짝 들어서 비서실 문 앞에 서 있었다.

이 녀석에게 나는 아무런 말도 하지 않았다. 그저 싸늘한 눈빛으로 한번 쳐다보고, 그 문서를 넘겨주었다. 그리고 이 녀석은 다시는 비서실에 오지 않고 다른 군인을 보냈다.

더 재미있는 것은, 나를 군홧발로 찼던 그 소대장이 차는 순간에, 태권도 선수였던 나는 그 발차기가 허세임을 알아차렸다. 앞꿈치로 차는 것이 아니라, 헐리우드 액션으로 발바닥으로 차는 것을 알았다.

그리고 그 소대장 중위 분은 나를 따로 불러서, 클라우제비츠의 전쟁론을 읽고, 독후감을 써서 달라고 했다. 자기가 내야 하는 것을 날 대신해서

시켰다. 이 장교 분은 발로 나를 차기 했지만, 나의 동기들과 달리 나의 패기에 대해 높이 사고 있었던 것이다.

그리고 거기에 또 공교롭게 ROTC 동기 곽세훈 소위가 신임 소대장으로 새로 왔다. 나는 이 분들 틈에서 장교처럼 생활했다.

동기애들은, 특히 아까 그 녀석은 내가 소대장에게 불려가는 날들이 많으니, 불려가서 죽도록 맞고 오는 줄 알았다. 그래서 이 녀석은 내가 수방사로 가리라고는 꿈에도 생각지도 못한 것이고, 더구나 비서실에 있으리라고는 더욱 생각지 못한 일이었다.

전 청와대 대변인 박수현 의원은 30경비단 5중대 행정실에서 같이 근무한 적이 있다. 당시 박근혜 전 대통령의 동생 박지만 대위가 옆 방포중대의 중대장이었다. 우리 중대장님과 육사 동기였다. 가끔 근무 중에 이 분을 북악산에서 만났다.

인생은 참으로 돌고 돌고, 재미 있기도 하다. 수고와 슬픔이 많은 인생이다. 그래도 끝까지, 삼손처럼 최선을 다해서 살다가 죽어야 한다.

내년 대선은 나에게 그런 것이다.

무엇을 알았다고 생각했다면 아직도 알지 못한 것이라는 말씀이 있다.

위의 깨달음을 얻는데, 수십년이 걸렸다. 대학 기독 동아리 시절, 간사가 대학 2년 선배였다. 이는 잘못 되어도 한참 잘못된 일이었다.

내가 22살 때, 그 선배가 25살이었다. 예수님조차도 만 30 정도가 되어서야 공적 사역에 나서셨다.

소경이 소경을 인도하니, 나의 대학 생활이 엉망진창이었던 것이다. 진리를 깨닫지 못한 사람들이 성경을 가르쳤으니, 사회 문제에 대해, 복음에 대해 잘못된 가르침을 주었던 것이다.

부분적인 것들은 알아도, 사회 전체를 꿰뚫고 답을 주지 못했다. 엘리사 선지자는 그렇지 않았다. 정권 교체에 대한 주도권을 가지고 있으셨다.

한국 카톨릭과 한국 개신교의 목사들은 철저히 소경들이 많다.

성경을 읽지 않기 때문이다. 하느님의 성령 충만하지 않기 때문이다. 논문을 쓸 때, 1차 자료로 써야 하는데, 3차 자료를 쓰는 사람들과 같다.

성경이란 1차 자료를 통해 깨달음을 얻지 못하고, 남들의 논문, 남들의 설교집을 표절해서 글을 쓰고, 설교한다.

엘리야와 엘리사 선지자는 사회의 문제에 대한 해결책, 심지어 쿠데타에 대해서까지 정확한 답을 알았다.

사무엘 선지자는 어렸지만 엘리가 듣지 못하는 하나님의 말씀도 직접 듣고 엘리에게 전해주셨다.

조선에 온 신부들과 목사들이 정말 하나님의 말씀을 듣고 온 자들인지, 아니면 예수님이 말씀하신 것과 같은, 바리새인들이 온 천하에 다녀 제자 하나를 만나 더 악하게 만들어버린다는 말씀과 같은 자들인지는 열매로 알게 된다.

지금 한국 카톨릭과 개신교는 바로 후자였음을 드러낸다. 신사참배 문제나, 이후 독재 시대의 그들의 행태나, 지금 천민 자본주의 시대에 이들이 보이고 있는 설교 수준이 이를 잘 드러낸다.

이제 우리는 대안을 제시하고 정권을 교체해야 한다. 그리고 서민들을 구해내야 한다. 엘리야와 엘리사가 하셨던 일들, 그리고 다윗 왕과, 예후가 한 일을 해야 한다.

아합의 집 식구들을 죽여야 한다. 이세벨도, 그들의 아들들도 다 죽여야 한다. 성령의 검으로 이들을 다 죽여야 한다.

썩은 우파도, 무능한 좌파도 아닌, 오직 공의 정치, 하느님 경외 정치로 이 일을 이뤄내야 한다.

모든 권력의 주인은 하나님이시다. 그러기에 예후의 행동은 쿠데타가 아니었다. 임명권자가 그 직에 합당한 자로 교체를 하셨는데 이것이 어찌 불법적 행동이겠는가!

서울 시장이 어떤 서울 시내 동장의 악행을 처벌하고 동장을 교체한 것이 불법이 아닌 것처럼.

시장도 대통령도 다 하느님의 임명권 아래에 놓여 있다. 민주제 질서 속에서도 여전히 주권자는 하느님이시다.

사람들이 투표를 하지만, 모든 것을 물처럼 이끄시는 분은 하느님이시다. 그의 아들 예수 그리스도 만왕의 왕이시다.

우리는 그의 아들이 되어 함께 왕노릇할 뿐이다. 분봉왕이 되어. 그리고 우리도 정의롭지 못하면 언제든지 또 예후처럼 제거되는 것이다.

한국엔 많은 선교단체들이 있다. 나는 네비게이토 선교회와 ESF에서 활동해보았다.

그런데 실로 많은 문제가 있다. 창세기, 그리고 복음서 중심으로 성경공부를 한다.

모세 오경 전체에 대해서, 그리고 열왕기, 역대서를 더 심도있게 공부해야 한다. 이런 성경 지식 배경 없이 복음서를 이해하기란 불가능한 일이다. 그러니 복음을 상당히 엉터리로 전한다.

창세기부터 요한계시록까지 철저히 다시 읽어야 한다.

선지자적 비관주의는 틀린 말이다. 성경을 제대로 읽지 않는 자들이 만들어낸 용어다. 선지자들이 순교하셨다. 조선 말에도 그러했다. 그러나 이는 비관으로 끝나는 일이 아니다.

잠간 성도들이 지는 것같지만, 이미 승리가 예정되어 있고, 이미 승리가 상당히 진행되어 있다. 우리는 특히 그런 시대에 살고 있다.

나는 신학자가 되려고 했고, 전도자가 되려고 했는데, 정치를 하게 되었다. 이는 나에게 축복이었다. 정치를 하면서 성경을 전혀 새로운 관점에서 바라보게 되었다.

사실 새로운 것이 아니다. 있는 그대로 보게 된 것이다. 성경은 하나님의 통치의 책이고, 왕들의 책이고, 사람들의 실제 삶에 대한 책이고, 정의에 대한 책이다.

그런데 이런 아름다운 책을 완전히 엉터리로 해석한 바리새인들의 후예가 신학대학과 성당과 교회를 장악했다. 그러나 여전히 소수지만 올바로 깨닫는 사람들이 있다.

하나님의 역사는 여전히 진행중이시다. 그리고 그 역사에 이미 우리도 한 부분이다.

하느님의 반대 편에 설 것이 아니라, 하나님의 편에 서서, 예후처럼 사역해야 할 것이다. 그러나 후에 예후가 타락한다. 우리는 그렇게 해선 안된다. 끝까지 주님의 길로 가야 한다.

이제 정권 교체는 예후 시대의 왕을 죽이는 것이 아니라, 선거를 통한 교체다.